HEWL

Stori Geraint Griffiths

gan

GERAINT DAVIES

a

JOHN DAVIES

Gomer

Argraffiad cyntaf – 2005

ISBN 1 84323 604 4

ⓑ Geraint Davies a John Davies, 2005

Mae Geraint Davies a John Davies wedi datgan eu hawl
dan Ddeddf Hawlfraint, Dyluniadau a Phatentau 1988
i gael eu cydnabod fel awduron y llyfr hwn.

Dymuna'r cyhoeddwyr ddiolch i
Adrannau Cyngor Llyfrau Cymru.

Argraffwyd yng Nghymru gan
Wasg Gomer, Llandysul, Ceredigion

I Pauline

CYNNWYS

PLENTYNDOD PONTRHYDYFEN

Bob Nadolig pan oedd Geraint Griffiths yn blentyn bach yn Oakwood Row, Pontrhydyfen, fe fyddai ei fam yn cuddio anrhegion o gwmpas yr ystafell fyw fel y byddai'n cymryd bore cyfan i'r crwtyn ddod o hyd iddyn nhw i gyd. Un flwyddyn, ac yntau'n saith mlwydd oed, fe sylwodd yn syth ar focs o dan stôl y piano. Wedi rhwygo'r papur lapio lliwgar ac agor y bocs, roedd wrth ei fodd wrth weld *ukulele* pedwar-tant yn gorwedd yno. Doedd 'na ddim llawlyfr: teimlad ei rieni oedd y dylai fwrw ati i ddarganfod drosto'i hun sut roedd yr offeryn yn gweithio.

> Ro'n i wedi cynhyrfu'n lân. Roedd e'n offeryn mor anarferol yn y cyfnod, ac er bod teulu 'Nhad yn gerddorol tu hwnt doedd 'na'r un *ukulele* rhyngddyn nhw, er gwaetha ymdrechion George Formby. Dwi ddim yn cofio am faint barodd yr offeryn bach ond fe arhosodd ei ddylanwad arna i hyd heddi, ac mae'n siŵr taw dyna pam y dewisais i'r gitâr pan ddaeth roc a rôl mewn i 'mywyd i. Fel arall, falle 'sen i wedi troi'n ddrymiwr – nawr 'na chi syniad arswydus!

Mae'r Griffithsiaid wedi bod yn deulu cerddorol ers sawl cenhedlaeth. Y cynta i ymgartrefu ym Mhontrhydyfen oedd William Griffiths, brodor yn wreiddiol o Langyndeyrn yng Nghwm Gwendraeth Fach. Pan oedd yn ddyn ifanc ymunodd â rhengoedd Isambard Kingdom Brunel a gweithio ar y rheilffordd yr oedd hwnnw'n ei gynllunio ar hyd de Cymru. Ond wedi iddo gyrraedd Pontrhydyfen mae'n amlwg iddo gwympo mewn cariad â'r pentref hir ar lannau afonydd Pelenna ac Afan ac yng nghysgod mynyddoedd y Foel, Pen-hydd a Gyfylchi. Penderfynodd newid gyrfa ac ymsefydlu yno fel glöwr cyn cwrdd â merch leol, Mary John o Gwm Ifan Bach, a'i phriodi. Roedd eu cartre yn stryd Penycae Row yn ardal Penycae, neu Oakwood fel y'i gelwid yn ddiweddarach, yn wynebu'r Foel. Disgrifiad un o drigolion y stryd oedd 'un tŷ â lle tân i bob teulu' gan fod y to wedi'i osod yn un darn. Yma y sefydlodd William Griffiths linach o gerddorion.

Roedd William yn hyddysg mewn sol-ffa a hen nodiant, neu staff, a bu'n athro sol-ffa a chanu ac yn arweinydd corau bach ar hyd Dyffryn Afan a pharti *glee* llwyddiannus yng Nglyncorrwg. Fe âi o le i le â'i offeryn ei hun, math o organ bwmp symudol. Tomos, tad-cu Geraint, oedd mab cyntaf-anedig William a Mary. Tyfodd yntau'n löwr ac yn gerddor – bu'n godwr canu yng nghapel Jerusalem, capel y Methodistiaid Calfinaidd ym Mhontrhydyfen, ac yn *Licentiate of the Tonic Sol-fa College*. Roedd ei frawd, Richard, yn organydd yn Jerusalem ac yn awdur nifer o lyfrau cerddoriaeth, a brawd arall, John, hefyd yn organydd, yn gynta yng nghapel Bethany, Port Talbot, cyn cael gwahoddiad i gapel Walham Green, Llundain, yn y tridegau. Bu'n gôr-feistr yno am flynyddoedd cyn ymddeol yn ôl i Bontrhydyfen, gan barhau i arwain corau.

Priododd Tomos Griffiths â merch o'r enw Mary Nicholas o Gwmafan, yr oedd ei theulu'n wreiddiol o Sir Gaerfyrddin, a sefydlwyd eu cartre yng Nghwm Ifan Bach, lle ganed Brinley Thomas Griffiths, neu Bryn, y pedwerydd o naw o blant, ar 14 Hydref, 1906. Cafodd yntau a'i frodyr a'u hunig chwaer – Emlyn, William, Gwladys, Syd, Cliff, Ron, Les ac Ellis – eu magu'n gerddorion, yn gantorion selog yng nghôr y capel ac yn feistri ar staff a sol-ffa. Bu Cliff yn godwr canu yn Jerusalem, bu Bryn, Gwladys a Les yn ddirprwy organyddion, ac aeth Emlyn yn gôr-feistr i Lundain mewn cyfnod pan oedd y corau mawr yn eu hanterth, gydag ymhell dros gant o aelodau dan ei ofal.

Yn 19 oed, roedd Bryn eisoes yn *Licentiate* i'r coleg sol-ffa, gan arbenigo mewn harmoni. Fe allai drosi'n rhwydd rhwng staff a sol-ffa a bu'n gwneud hyn i gerddorion ledled Cymru gydol ei oes – fe fyddai pobol yn anfon cerddoriaeth ato i'w throsi pan oedd e ymhell dros ei bedwar ugain oed. Bu hefyd yn athro canu i blant ac oedolion y pentref, gan gynnwys un o enwogion Pontrhydyfen, Ivor Emmanuel, ar ôl yr Ail Ryfel Byd. Bu'n cyfansoddi emynau, gan ennill nifer o wobrau eisteddfodol, a bu'n osodwr Cerdd Dant ac yn aelod o'r Gymdeithas Cerdd Dant.

Dechreuodd Bryn weithio dan ddaear yn 14 oed ym mhwll glo Argoed, ond yn dilyn damwain pan laddwyd cyfaill iddo penderfynodd adael y pwll a chafodd waith yng ngorsaf Port Talbot yn dosbarthu parseli o gylch y dre gyda cheffyl a chart. Gyda streic y glowyr yn 1926 daeth hi'n amlwg nad oedd dyfodol yn y fan honno chwaith, felly penderfynodd Bryn a ffrind iddo ymuno â'r RAF. Pan ddaeth dydd y prysur bwyso, fodd bynnag, cafodd Bryn ei hun heb gwmni'i gyfaill wrth i hwnnw dynnu'n ôl o'r fenter fawr. Ond doedd dim troi 'nôl i fod i Bryn.

Roedd y penderfyniad hwn yn golygu aberth; ar wahân i symud o'i gynefin, golygai hefyd gefnu ar gyfnod llewyrchus fel chwaraewr rygbi. Wedi cyfnod ar yr asgell i Glwb Rygbi Pontrhydyfen, bu'n chwarae gyda Chwmafan cyn cael cyfle i godi'i safon gyda chlwb Castell-nedd, ac roedd sôn amdano fel darpar-chwaraewr i Gymru maes o law. Doedd hynny ddim i fod, ond fe chwaraeodd i dîm cynta'r RAF, a hynny ar ôl ennill ei le yn erbyn goreuon gwledydd Prydain.

Wedi cyfnod yn derbyn hyfforddiant fel *aero-rigger* ac yn gweithio ar awyrennau cynnar fel y Sopwith Camel a'r de Havilland Gipsy Moth, gadawodd Bryn yr RAF i ymuno â chwmni Hanley-Page yn y Royal Aeronautical Establishment yn Llundain a lletya yn ardal Ruislip. Yno y sylwodd ar ferch ifanc o'r enw Rachel Mary Jones, neu Ray fel yr oedd pawb yn ei hadnabod, merch o Landdewi Brefi oedd wedi symud i Lundain i weithio fel rheolwraig llaethdy yn Ruislip. Yn ystod y tridegau roedd cymdeithas Gymreig lewyrchus iawn yn Llundain gan fod cynifer o Gymry wedi symud yno i chwilio am waith a gwella'u byd mewn cyfnod o galedi, ac roedd cymanfaoedd canu, rhai byrfyfyr yn aml, yn bethau cyffredin. Mewn digwyddiad o'r fath yn Speaker's Corner, Marble Arch, y cyfarfu Bryn â Ray am y tro cynta a hwyrach i lais tenor cryf Bryn dynnu sylw'r ferch o Geredigion. Yn sicr, mae'n briodol mai trwy ganu y daeth y ddau at ei gilydd yn y lle cynta.

Priododd y ddau yn 1936 yn Camden Town a symud i fyw i Rainer's Lane, De Harrow. Gwaetha'r modd, dair blynedd wedi'r briodas, cychwynnodd yr Ail Ryfel Byd, ac roedd Bryn, fel cyn-aelod o'r RAF, yn *reservist* ac ymhlith y cynta i dderbyn galwad i'r fyddin. Yn wir, daeth cnoc ar y drws ar y noson gynta wedi'r cyhoeddiad swyddogol bod Prydain bellach yn rhyfela yn erbyn yr Almaen.

Aeth Bryn i'r Awyrlu, aeth y celfi i stordy ac aeth Ray 'nôl i fferm ei rhieni yn Llanddewi Brefi am gyfnod cyn i Mary, ei mam-yng-nghyfraith, ysgrifennu ati i ofyn a allai symud i Bontrhydyfen ati hi, gan fod Tomos, tad Bryn, yn wael iawn. Roedd Ray yn falch o wneud a bu'n helpu i ofalu am Tomos hyd ei farw, yn fuan wedyn, yn 1940. Arhosodd Ray i gadw cwmni i Mary a chafodd waith mewn ffatri arfau yng Nghastell-nedd. Bu Les, brawd Bryn, yn byw gyda nhw am gyfnod cyn iddo briodi a symud, gan adael Ray a Mary i ddisgwyl am ddiwedd y rhyfel a dychweliad diogel Bryn.

Wedi cyfnod fel *aero-rigger* ar sawl maes awyr yn Lloegr, treuliodd Bryn flynyddoedd ola'r rhyfel yn hyfforddi peilotiaid yng nghanolfan yr RAF yn Nassau yn y Bahamas, man mwy dymunol na llawer i le yn y cyfnod. Ond, wrth i'r rhyfel ddod i ben, oedodd e ddim rhag dychwelyd i Bontrhydyfen, lle penderfynodd Ray ac yntau rentu tŷ a sefydlu cartre yn 23 Oakwood Row, hen gartref ei dad-cu, William Griffiths.

Teras cefn-yng-nghefn oedd y Row, gyda phymtheg o dai bob ochr. Roedd hewl gul yn amgylchynu'r stryd a'u gerddi'n amgylchynu'r cwbwl. O edrych i lawr y cwm gellid gweld y rheilffordd i Don-mawr, yna afon Afan ac, ar draws y cwm, y ffordd fawr i Gwmafan a thref Port Talbot. Tŷ digon bychan oedd rhif 23 y Row – dwy ystafell ar y llawr gwaelod a dwy yn

y llofft. Yn yr ystafell fyw, neu'r gegin, yr oedd yr unig le tân –
un haearn – du. Nesa at yr ystafell fyw roedd ystafell fechan lle
byddai Ray'n coginio ar y cwcer nwy. Nwy hefyd oedd yn
goleuo'r ddwy ystafell, a chanhwyllau oedd yr unig olau i
arwain y ffordd i'r gwely – doedd dim trydan ar gyfyl y lle.
Safai'r tŷ bach ar draws yr hewl ger y cwt glo a'r ardd, a oedd
yn gyfuniad o lawnt fechan yn y blaen, wedyn yr ardd lysiau, ac
yna'r llwyni cwrens duon ac eirin Mair neu gwsberins. Y tu ôl
i'r ardd safai'r sièd ffowls ac yn ei hymyl yr *Anderson shelter*,
rhag ofn i'r 'Jyrmans' gyrraedd Oakwood. Roedd y rhyfel wedi
gadael ei ôl ar y pentre, nad oedd mor bell â hynny o Abertawe,
lle bu dinistr mawr yn sgil bomio'r *Luftwaffe* – roedd un bom
wedi chwalu cartref Ivor Emmanuel, gan ladd ei rieni, ei
chwaer a'i dad-cu.

I'r byd bach hwn y ganed Geraint Lloyd Griffiths yn ysbyty
Castell-nedd ar 4 Ebrill 1949. Fel pawb arall, mae'n siŵr, mae
atgofion cynharaf Geraint yn gymysg oll i gyd:

> 'Y mharti pen-blwydd yn bedair, chwarae yn yr haul
> gyda'n ffrindiau, croesi'r hewl i fwydo'r ieir oedd yn
> cerdded yn rhydd rhwng y llwyni ffrwythe yn yr ardd,
> Mam yn polisio'r lle tân haearn du, canu cynulleidfaol
> ysbrydoledig y capel, oedd yn fwynhad pur, y teulu
> estynedig yn ymweld â Gran ar y ffordd 'nôl o'r capel,
> gwyngalchu waliau'n stryd ni gyda'r cymdogion i gyd,
> ymweld â Mam-gu a Tad-cu ar eu ffarm yn Llanddewi
> Brefi . . .

Uwchlaw dim – a dim syndod – mae'r atgofion cynnar hynny'n
frith o brofiadau cerddorol. O'r cychwyn cynta cafodd Geraint
wersi canu gan ei dad.

> Cyn gynted ag o'n i'n gallu gneud sŵn bron, cododd 'y
> nhad fi i ganu. Pan o'n i'n *boy soprano*, roedd e'n cymryd
> pethau o ddifri. Fe fyddai 'Nhad yn pwysleisio pa mor
> bwysig oedd rheoli'r anadlu, tonyddiaeth, geirio clir a

phethe fel dal llafariaid yn hytrach na chytseiniaid. Fe fydde fe'n dysgu'r gwahaniaeth rhwng canu o'r fron ac o'r pen (*falsetto*) a shwd oedd symud o un i'r llall. Roedd e'n disgwyl i fi ddarllen hen nodiant yn hytrach na sol-ffa – er ei fod e'n arbenigwr ar hynny, roedd e'n gweld y bydde hen nodiant yn fwy defnyddiol i fi'n gyffredinol. Ond fe nath e ddysgu rhywfaint o sol-ffa i fi hefyd – handi iawn ar gyfer sgwennu tonau ar gefn pacet sigaréts!

Ychydig cyn ei ben-blwydd yn bump, aeth Geraint i'r ysgol am y tro cynta – Ysgol Gynradd Pontrhydyfen, yn gyfleus ar ben uchaf y Row. Er bod Pontrhydyfen yn bentref Cymraeg ei iaith, Saesneg oedd iaith yr ysgol – tipyn o sioc i'r Geraint uniaith, ac i lawer iawn o'i gyfoedion:

Roedd e'n brofiad annifyr a dryslyd gan nad o'n i'n gallu deall iaith llawer o'r gwersi. Roedd yr athrawon, wrth gwrs, yn gallu siarad Cymraeg ac, a bod yn deg, ro'n nhw'n ddigon caredig i'r rheini ohonon ni oedd yn cael trafferth.

Gyda'r pwyslais yn y pumdegau ar y tair 'R' – *Reading, (W)riting* ac (A)*rithmetic* – dysgu wrth ailadrodd ar lafar ac yn ysgrifenedig hyd syrffed oedd y norm ac, i raddau helaeth, fe weithiodd yn achos Geraint. Mae'r *twelve times table* yn dal ar flaen ei gof, a buan iawn y tyfodd ei hyder yn y Saesneg.

Ond roedd y byd yn newid, a'r symudiad tuag at addysg Gymraeg wedi cychwyn. Wedi brwydro gan y rhieni, gan gynnwys Bryn a Ray, sefydlwyd Ysgol Gymraeg Pontrhydyfen yn 1955 dan brifathrawiaeth Alwyn Samuel, ac roedd Geraint ymysg y disgyblion cynta:

Er nad o'n i'n frwdfrydig iawn am bethau academaidd, ac yn colli diddordeb yn llwyr weithiau, roedd Mr Samuel wastad yn barod i roi'i amser i fi a'n annog i 'mlaen. Doedd e ddim yn gwthio chwaraeon rhyw lawer, diolch byth, ond rwy'n cofio mwynhau ymarfer cerdd dant a harmoni gydag e a nath e lot i greu 'niddordeb i mewn darllen, yn enwedig yn y Gymraeg. Fe fydde fe hefyd yn arwain teithiau cerdded lleol lle ces i flas ar fyd natur a'r ardal o'n cwmpas ni. A fe hefyd gastiodd fi yn y brif ran yn *Elidir a'r Tylwyth Teg*, berfformion ni yn y Gwyn Hall, Castell-nedd.

Nid Geraint oedd unig aelod y teulu i ddod dan ddylanwad Alwyn Sam. Erbyn diwedd y pumdegau a dechrau'r chwedegau roedd Alwyn wedi ffurfio parti cerdd dant arbennig o lwyddiannus o blith cantorion lleol, a gosod enw Pontrhydyfen ar fap cerddorol Cymraeg y cyfnod. Bu Bryn a Ray, ynghyd â nifer o aelodau eraill y teulu, yn aelodau brwd, gan deithio ledled Cymru i gynnal nosweithiau a hyd yn oed gyhoeddi record – cynsail pendant, os anfwriadol, i'w mab.

Er bod teulu estynedig y Griffithsiaid yn un niferus, unig blentyn oedd Geraint, ond doedd e ddim yn brin o gwmni gan gwneud ffrindiau'n hawdd – bechgyn fel Russell Aubrey, Gary Best a Griff Williams, y tri yn yr un dosbarth ag e, ac un fyddai'n ffrind gydol oes ac yn rhan allweddol o hanes cerddorol Geraint, sef Hefin Elis. Meddai Hefin:

> Cafodd Geraint a fi ein magu yn yr un stryd ym Mhontrhydyfen. Mae e flwyddyn – a dau fis – yn hŷn na fi, felly roedd e ar y blaen o'r cychwyn. Fe fydden ni'n chware gyda'n gilydd o gwmpas yr ardal, yn y chwarel a'r afon, ac yn mynychu'r un ysgol. Yr unig beth o'n ni'n gneud ar wahân oedd mynd i'r capel, gan fod 'y nhad yn weinidog Bethel, capel y Bedyddwyr.

Partner arall oedd ei gefnder, John, a oedd ddwy flynedd yn iau na Geraint. Ac yntau'n unig fab (a chanddo ddwy chwaer) i frawd Bryn, Syd, roedd hi'n anorfod bron y byddai'r ddau'n cael eu tynnu at ei gilydd, a pheth cyfarwydd iawn oedd gweld Geraint a John yn cystadlu fel deuawd cerdd dant yn yr ysgol, yng nghapel Jerusalem ac yn Eisteddfodau'r Urdd. Roedd cystadlu yn yr Urdd yn ffordd o fyw iddyn nhw, ac er nad oedd Geraint yn gystadleuydd brwd enillodd sawl ail a thrydydd ac ambell wobr gynta wrth ganu:

> ond ro'n i braidd yn anfodlon cydymffurfio a pherfformio ac roedd hynny i'w weld, sbo, yn 'yn agwedd i, oedd mae'n siŵr yn rhwystr rhag cyrraedd yr uchelfannau eisteddfodol. Ond wedi dweud 'ny, ces i fwy o flas ar y deuawdau gyda John, falle oherwydd yr harmoni, a chawson ni dipyn o lwyddiant. Mae 'da fi lun o hyd o'r ddau ohonon ni gyda'n tystysgrifau buddugol yn 'Steddfod Genedlaethol yr Urdd ym Mrynaman.

Un ferch ifanc yn nosbarth Geraint yn yr ysgol oedd Siân Owen, nith i fab enwoca Pontrhydyfen, Richard Burton, oedd yn ymwelydd cyson â'r pentre. Ar un achlysur fe darodd i mewn i'r ysgol i weld Siân – oedd yn digwydd bod gyda Geraint ar y pryd. Am fod yn y lle iawn ar yr adeg iawn fe wobrwywyd Geraint â hanner coron, swm sylweddol i grwtyn ysgol fach. Ar adeg arall, daeth Richard â'i wraig, Elizabeth Taylor, gydag e mewn car mawr Americanaidd –

> Cadillac dwi'n meddwl – *powder blue*. Un peth rwy'n cofio yw nad oedd Liz Taylor yn gwisgo sane, ac yn bwysicach fyth, doedd ei choesau hi ddim cystal â rhai Anti Gwladys. Roedd Anti Glad yn enwog am ei choesau!

Adre hefyd roedd 'na gwmni. Ar wahân i Bryn a Ray, bu cyfres o anifeiliaid anwes ag enwau llawn dychymyg – Snwcs, cath ddu a gwyn; byji o'r enw Joey, ymhell o afael Snwcs, a chwningen Angora a fedyddiwyd yn Snowy.

Roedd trefi Castell-nedd a Phort Talbot, lle'r oedd sinemâu'n atyniad achlysurol, nifer o filltiroedd i ffwrdd, felly canolbwynt cymdeithasol ac adloniadol y teulu oedd capel Jerusalem, taith fer ar droed ar draws y Bont Fawr. Adeiladwyd nodwedd amlyca

Pontrhydyfen gan John Reynolds tua 1825, fel pont reilffordd yn gyntaf ac yna i gario dŵr i'w waith haearn, cyn iddi gael ei haddasu, wedi diflaniad y gwaith, yn bont drafnidiaeth gyffredin.

Sidney Jones oedd organydd swyddogol Jerusalem ond, yn ei absenoldeb, byddai Bryn yn cymryd yr awenau. Roedd hefyd, fel Ray, yn dysgu yn yr Ysgol Sul a fynychai Geraint bob Sul. Yr arolygwr oedd Glyn Thomas, un o'r 'wythïen fawr' o Domasiaid yn yr ardal a phrifathro Ysgol Ton-mawr. Byddai'n annog y criw o wyth i ddeg o blant i siarad ac i drafod unrhyw beth oedd o ddiddordeb iddyn nhw ac i ddatblygu eu syniadau. I Geraint, roedd y cyfle hwn i fynegi'i hun fel hyn, mewn awyrgylch oedd yn rhoi parch i safbwyntiau'r ifainc, yn golygu bod mynd i'r Ysgol Sul yn bleser.

Gweinidog Jerusalem oedd y Parchedig Gomer Roberts, y gŵr a fedyddiodd Geraint ac a gymerodd ddiddordeb byw yn y crwt wedi hynny. Roedd Mr Roberts yn hanesydd o fri, a hwyrach mai fe enynnodd y diddordeb mewn hanes sydd wedi aros gyda Geraint hyd heddiw. Ar deithiau Cymdeithas y Capel, teithiau i oedolion yn bennaf, byddai Bryn a Ray yn mynd â Geraint gyda nhw, a Mr Roberts bob amser yn holi 'Ble mae 'mhartner i?' cyn rhannu sedd gyda'r bachgen ifanc a threulio'r siwrne yn sgwrsio ag e. Ac roedd e'n bregethwr apelgar hefyd: i Geraint, roedd gwrando ar ei bregethau e'n fwynhad yn hytrach na rhywbeth i'w ddiodde'n dawel.

Roedd mynd mawr ar ganu corawl ac ar gystadlu o bob math yn eisteddfodau'r capel a'r henaduriaeth. Canu fyddai Geraint ran amlaf, yn aml gyda'i gefnder, John, ond mae'n cofio hefyd bod yn fuddugol ar actio drama yn erbyn capeli eraill yr ardal. Un ar ddeg oed oedd e ar y pryd, ac, ar wahân i'r fuddugoliaeth, yr hyn sy'n aros yn y cof yw'r ffaith fod ganddo dymheredd uchel o 104 y noson honno: gwers gynnar bod yn rhaid i'r sioe fynd rhagddi, waeth beth fo'r amgylchiadau.

Fel cynifer o gapeli, roedd gan Jerusalem organ bib fawr, ond yn ddiweddarach etifeddodd y capel *harmonium* a throdd Bryn at hwnnw, gan fod ganddo un ei hun adre am gyfnod. Ac i feiciwr o fri, doedd y pedalau ddim yn broblem o gwbwl.

17

Yn wir, roedd Bryn yn cynnal ei deulu wrth feicio. Wedi cyfnod byr yn swyddfa barseli gorsaf reilffordd Port Talbot, trodd yn bostmon ym Mhontrhydyfen; fe fyddai 'Bryn y Post' yn dosbarthu llythyrau trwy'r pentre ac i ffermydd yr ardal, a allai olygu teithiau o hyd at 30 milltir ambell ddiwrnod. Addasodd y beic i roi sedd fechan ar y *crossbar* er mwyn mynd â'r Geraint ifanc gydag e i grwydro Dyffryn Afan, ac wedi i'r mab ddysgu'r grefft ei hun byddai'r ddau'n beicio gyda'i gilydd.

Aeth Ray hefyd yn ôl i weithio pan oedd Geraint yn bum mlwydd oed, gan fynd o dŷ i dŷ fel asiant i gwmni yswiriant Refuge. Doedd ganddi hi ddim moethusrwydd beic, hyd yn oed, a dibynnai ar gerdded o gwmpas pentre Pontrhydyfen neu ddal y bws i Gwmafan a cherdded o ddrws i ddrws yno.

Daeth y gallu i ddarllen Saesneg yn ddefnyddiol wrth i gomics dyfu mewn poblogrwydd yn y pumdegau. Roedd clasuron fel y *Dandy*, y *Beano* a'r *Eagle* yn rhan o ddeunydd darllen cenhedlaeth gyfan o fechgyn a doedd Geraint ddim yn eithriad.

Fel unig blentyn, ro'n i'n eitha lwcus gyda chomics. Rwy'n credu i fi 'u cael nhw i gyd, felly roedd 'na rywbeth i edrych ymlaen ato fe gydol yr wythnos.

Heb drydan, radio â batri anferth oedd yr unig adloniant torfol, diolch i *Home Service* a *Light Programme* y BBC, ond daeth tro ar fyd yn 1954 pan roddwyd y canhwyllau o'r neilltu a weirio'r tŷ ar gyfer golau trydan. O fewn ychydig, yn 1957, ychwanegwyd set deledu at gelfi 23 Oakwood Row. Du a gwyn oedd y lluniau, wrth gwrs, ond roedd Geraint wrth ei fodd â rhaglenni plant ac yn arbennig y llu o *Westerns* Americanaidd oedd wedi'u mewnforio, gyda'r *Lone Ranger* a'r *Range Rider* yn ffefrynnau.

Yn y blynyddoedd cynnar hynny, mewn ardal weddol ddiarffordd fel Pontrhydyfen, digon anwadal oedd y cyflenwad trydan, gydag unrhyw dywydd mawr yn dueddol o ddiffodd popeth. Un Nadolig, pan oedd Geraint yn saith oed, torrwyd y cyflenwad gan storm o eira a bu'n rhaid i Ray goginio ar yr hen le tân – er bod yna ramant hefyd mewn eistedd i lawr i ginio Nadolig dan olau canhwyllau go-iawn ar y goeden.

Roedd y Nadolig yn adeg cynhyrfus i Geraint pan oedd yn grwtyn, a 'dyw ei hoffter o'r ŵyl heb bylu. Fe fyddai'r dathlu'n cychwyn yn gynnar, a hithau'n dywyll wrth i Jerusalem gynnal oedfa'r Plygain, lle câi Geraint fynd ag un anrheg fechan gydag e. Mae'r atgofion yn parhau am yr anrhegion cynnar fel car bach pedal, y beic cynta – wel, *tricycle* a bod yn fanwl gywir – ac, wrth gwrs, yr *ukulele*.

Roedd y byd ar fin ehangu i Geraint wrth i'r chwedegau wawrio, a'i gyfnod yn Ysgol Gynradd Pontrhydyfen yn dod i ben wrth iddo fe sefyll arholiadau tyngedfennol yr *Eleven Plus*. Yn naturiol ddigon, bu ychydig o bryder wrth ddisgwyl y canlyniadau. Doedd y syniad o ddilyn cyrsiau mewn ysgol *Secondary Modern* ddim yn apelio, felly paratowyd cynllun wrth gefn, diolch i Anti Mat. Chwaer Ray oedd Anti Mat, neu Martha Jane Jones, metron yn ysbyty Aberaeron, yn ddibriod a chanddi ond un nai i'w sbwylio; byddai'n fwy na bodlon prynu'r pethau 'sbesial' hynny na allai Bryn a Ray mo'u fforddio. Fe gynigiodd hi ysgwyddo'r gost o anfon Geraint i ysgol breifat Heathmont ym Mhort Talbot pe methai'r arholiad ond, fel y digwyddodd pethau, doedd dim angen, gan iddo ddod drwyddi'n llwyddiannus.

Felly, ar 12 Medi 1960, daliodd Geraint y trên o orsaf Pontrhydyfen i gychwyn ar ei ddiwrnod cynta yn *Glanafan Grammar Technical School*, Port Talbot.

BLYNYDDOEDD GLANAFAN

Sefydlwyd Ysgol Ramadeg Glanafan yn 1896, mewn adeilad brics coch amlwg ar Station Road yng nghanol Port Talbot, tref sy'n enwog am ei diwydiant – a'r llygredd ddaeth yn ei sgil. Er 1965 mae'n ysgol gyfun ac yn dal i arddel yr arwyddair gwreiddiol, 'A ddioddefws a orfu', er mai digon Seisnig oedd awyrgylch y lle yn y chwedegau.

Wrth gyrraedd yno roedd Geraint yn dilyn traddodiad teuluol gan fod rhai o frodyr ei dad, a llawer o'u plant, wedi'u haddysgu yno. Ar ben hynny, roedd y rhan fwyaf o'i ffrindiau wedi llwyddo i gyrraedd yno hefyd. Ar y cychwyn roedd Geraint yn hapus yng Nglanafan, y cyfan yn newydd a diddorol gyda chyfle i wneud ffrindiau newydd, ond ymhen amser fe surodd pethau, i raddau helaeth oherwydd grŵp o bedwar neu bump o fechgyn yn yr un dosbarth oedd yn hoff o fwlio bechgyn eraill.

Er bod Geraint o faint cyffredin i fachgen o'i oed, roedd wrth natur yn berson sensitif – doedd e ddim yn hoffi poen, ac roedd pethau fel Ymarfer Corff a chwaraeon yn dreth arno fe. Chafodd e erioed mo'i guro gan y gang ond gadawodd eu hagwedd fygythiol ôl seicolegol pendant arno. Byddai'n rhaid iddo ddefnyddio'i ddychymyg a'i allu ymenyddol i feddwl yn gyflymach na'r bwlis ac osgoi cosfa:

> Roedd fy mhen i'n gyflymach na 'nyrnau ond, ar adegau, fe fyddwn i wedi hoffi bod pethau fel arall.

Dirprwywyd tipyn o ddisgyblaeth yr ysgol i ddwylo'r *prefects*, yn llythrennol felly ar adegau. I ddisgyblion *Form 1* edrychai'r swyddogion 17 a 18 mlwydd oed fel hen ddynion. Cosb boblogaidd o'u heiddo oedd gosod *lines* fesul cant yn dibynnu ar ddifrifoldeb trosedd y disgybl, er enghraifft ysgrifennu '*I must not run in the corridor*' gant o weithiau erbyn y bore trannoeth.

Byddai'r athrawon hefyd yn dewis anwybyddu'r ffaith bod y *prefects* yn rhoi cosbau corfforol am y troseddau mwy difrifol. Yr offeryn a ddefnyddid oedd yr arswydus *dap*. Cedwid esgid ymarfer corff maint 12 yn ystafell y swyddogion lle byddai'r troseddwr iau yn cael ei blygu dros ddesg i dderbyn cosfa – *six of the best*. Nid bod hyn yn beth unigryw i Lanafan: dyna oedd y drefn yn y rhan fwyaf o ysgolion gramadeg y cyfnod, ond gyda dyfodiad ysgolion cyfun peidiodd yr arfer yn raddol. Nid bwlio, cosb a thrais oedd pob dim yno, wrth gwrs, ond fe arhosodd yr agwedd hon ar ei addysg gyda Geraint am byth.

Ar un achlysur daeth dawn yr actor yn Geraint i'r amlwg, yn ddamweiniol hollol. Roedd e, ac eraill, wedi pechu'r *prefects* rywsut ac, fel cosb, gorfodwyd y drwgweithredwyr i sefyll ar ben desg ac ymestyn eu breichiau mor bell ag yr oedd modd nes eu bod yn brifo. Mae'n amlwg nad oedd Griffiths yn ymestyn digon, a chafodd hwp sydyn i'w stumog. Plygodd ar ei hanner a disgyn i'r llawr – a dyma ddechrau'r actio. Penderfynodd odro'r sefyllfa gan riddfan mewn poen. Y bwriad, wrth gwrs, oedd dial wrth wneud i'r hwpwr deimlo'n euog, ond o fewn munud roedd rhywun wedi galw am athro a llinell wedi'i chroesi. Roedd pethau'n dechrau mynd dros ben llestri ond roedd hi'n rhy hwyr troi'n ôl a chyfaddef nad oedd e wedi brifo cymaint â hynny. Aed ag e adre yng ngofal un o'r athrawon a galwyd am y doctor – na wnaeth ddim i ddofi'r sefyllfa; '*suspected appendicitis*' oedd ei farn e, felly i mewn â Geraint i Ysbyty Penrhiwtyn yng Nghastell-nedd, ac yno y buodd e am wythnos gyfan dan *observation*. Efallai'i fod e wedi dial ar y *prefects*, ond go brin fod hynny'n werth wythnos o gaethiwed!

Ochr yn ochr â hyn roedd 'na atgofion hapus, gan gynnwys y profiad o wersi Cymraeg gydag Annie Jane Davies, 'menyw addfwyn'. Flynyddoedd yn ddiweddarach, a Geraint yn gweithio fel nyrs yn Ysbyty Glangwili, Caerfyrddin, roedd hi'n un o'r cleifion yno ac yn cofio'i chyn-ddisgybl yn dda.

Cof melys hefyd am Eleri Owen, y delynores ac athrawes gerdd, a Pat Richards, oedd yn dysgu hanes ac yn dangos caredigrwydd arbennig. Mae hefyd yn cofio Graham 'Bubbles' Davies, yr athro gwaith metel a *technical drawing*, un o hoff bynciau Geraint, fel un oedd yn ei drin â pharch. Ond menywod oedd ei hoff athrawon, hwyrach oherwydd eu pynciau, sef yr union feysydd y byddai Geraint yn treulio'i fywyd ynddyn nhw.

Roedd Celf, neu *Art*, yn un o'i hoff bynciau. Yn anffodus, doedd Tom Davies ddim yn athro ysbrydoledig a diflasodd Geraint ar y pwnc am flynyddoedd cyn dychwelyd ato fel oedolyn.

Rwy'n mwynhau paentio ac mae 'na ychydig o bethau o gwmpas y tŷ dwi wedi'u gneud. Rwy wastad wedi hoffi arlunio hefyd; roedd Dad yn sgetsiwr da, yn enwedig mewn pensil neu ben ac inc. Rwy wedi sgetsio a dwdlan fel'na erioed, a dweud y gwir.

Arweiniodd y diddordeb mewn arlunio, diddordeb na chafodd ei werthfawrogi gan ei athro celf, at lwybr newydd yn y drydedd flwyddyn wrth i Geraint ddilyn Dylunio Technegol neu *Technical Drawing* ar draul Celf. Am weddill ei gyfnod yng Nglanafan llwyddodd i ennill marciau uchel yn gyson yn y pwnc, dan ofal Graham Davies. Dyma sylwadau digon nodweddiadol o'i adroddiadau diwedd-tymor yn yr ysgol: 'Geraint has not worked consistently this term. Increased effort and concentration is needed to derive the necessary benefit from an academic education. Very good results in both Welsh and Technical Drawing.'

Diwedd oes aur y locomotifs stêm oedd hi pan ddechreuodd Geraint yng Nglanafan, ond am y flwyddyn gynta o leia fe gafodd e'r pleser o deithio ar dren stêm. Safai Oakwood yng nghanol siâp 'V' wedi'i greu gan ddwy lein rheilffordd, felly roedd Geraint wedi'i fagu yn sŵn y trenau stêm yn mynd a dod, ddydd a nos. Roedd y brif lein o Gwm Rhondda i Fae Abertawe yn pasio gwaelod y stryd a llinell glofa Ton-mawr yn rhedeg yn gyfochrog â'r Row.

Safai gorsaf Pontrhydyfen ar ochr draw'r cwm, felly roedd rhaid croesi'r Bont Fawr bob bore i ddal y trên. Yn anorfod, byddai un neu ddau, a Geraint yn eu mysg weithiau, yn hwyr, ond arhosai'r gyrrwr amdanyn nhw wrth iddyn nhw redeg ar draws y bont, gan eu siarsio i frysio.

Er bod cwmni Thomas Brothers yn rhedeg gwasanaeth bysys yn ardal Port Talbot, y cwmni trên oedd â chytundeb i gario disgyblion i Lanafan, a hynny am ddim i'r plant. Un diwrnod, cafodd Geraint arian gan ei fam i dalu am dorri'i wallt ar y ffordd adre o'r ysgol, yn siop y barbwr, Dai Rainbow, yng Nghwmafan; byddai angen iddo ddal y bws o'r ysgol i Gwmafan, ac yna fws arall adre, a chafodd gwpwl o geiniogau ychwanegol er mwyn talu am y daith honno.

Roedd yr ysgol yn cau am chwarter i bedwar ond doedd y trên i Bontrhydyfen ddim yn gadael am hanner awr arall. Daeth y syniad gwych o ddal y bws i Gwmafan yn syth wedi'r gloch, torri'i wallt ar frys a dal y trên (am ddim) yn hytrach na'r bws adre ac, o ganlyniad, arbed ychydig o geiniogau iddo fe'i hunan.

Roedd yr amseru'n hollbwysig; gyda'i *short back and sides* arferol fe gyrhaeddodd y stesion wrth i'r trên adael y platfform. Gwelodd ei ffrindiau ysgol, Robert Mathews ac Alun Jones, e'n rhedeg ar ôl y trên ac agoron nhw'r drws gan weiddi anogaeth. Gyda *satchel* dros un ysgwydd a *duffel bag* dros y llall, ac yn rhedeg ffwl pelt, neidiodd am y trên . . . ond roedd pwysau'r bagiau'n ormod ac am ennyd roedd ei goesau'n hongian yn beryglus o agos at yr olwynion mawr haearn oedd yn cyflymu wrth godi stêm. Fe gymerodd hi holl nerth breichiau ifainc Robert ac Alun i'w dynnu i mewn i'r goets yn ddiogel.

Fe allen i fod wedi colli 'nghoesau; fe allen i fod wedi colli 'mywyd – dim ond i arbed cwpwl o geiniogau. Un arall o wersi bywyd wedi'i dysgu.

Rhwng 10 a 13 oed âi Geraint am wersi piano gyda Miss Williams yn Cattybrook Terrace, Cwmafan.

Roedd hi'n hen fenyw garedig ond ro'n i'n teimlo'r gwersi'n *boring* a do'n i ddim ishe mynd – ond fe roddodd e sylfaen i fi. Fe ddysges i bethau defnyddiol am gerddoriaeth ac fe ddysges i bethau defnyddiol am y piano.

Fel cynifer o rieni o'u blaenau, teimlai Bryn a Ray y byddai cael gwersi cerdd ffurfiol o fudd i'w mab ac, fel cynifer o blant, methodd Geraint â gwerthfawrogi beth oedd yn cael ei gynnig. Yn amlach na pheidio, chwarae triwant wnaeth e, nes i'w rieni sylweddoli eu bod nhw'n gwastraffu'u harian, a daeth y gwersi i ben. Roedd natur y tŷ yn Oakwood Row yn rhan o'r broblem. Â Geraint yn 10 oed, symudodd Anti Mary Ann, modryb Ray, i fyw gyda'i nith ym Mhontrhydyfen, o Lanymddyfri, lle'r oedd hi wedi ymddeol ar ôl cyfnod fel postfeistres Cil-y-cwm. Gyda dim ond dwy ystafell wely yn y tŷ, cysgai Bryn a Ray yn yr ystafell fyw er mwyn i Geraint gadw'i ystafell yntau, ac yn yr ystafell fyw honno hefyd roedd canolbwynt pob gweithgaredd teuluol. O'r herwydd roedd hi'n anodd ymarfer y piano, ac ar ben hynny dechreuodd gwaith cartre Geraint ddioddef.

Ond y tu fas i rif 23 roedd beicio wedi gafael. Roedd dyddiau'r teithio ar *crossbar* Bryn wedi hen fynd heibio a chrwydrai Geraint yr ardal ar gyfres o feiciau, gan gynnwys Triumph Victor gyda gêrs *three-speed* Sturmey-Archer a *butterfly handle-bars*, peiriant arloesol yn ei gyfnod, ac âi â hwnnw gydag e ar ei wyliau i Landdewi Brefi. Ond *y* beic oedd yr un brynwyd gan Anti Mat yn anrheg ar ei ben-blwydd yn 12 – beic rasio Freddie Grubb gyda thiwbiau Reynolds 531, gêrs Campagnolo, olwyn tsiaen Williams a brêcs Weinmann. Beic a hanner.

Fuodd Geraint erioed yn feiciwr cystadleuol er ei fod e'n mwynhau teithio cryn bellter ar y beic. Fe'i perswadiwyd gan ei ffrind ysgol, Russell Morgan, i fynd ar daith hyfforddi ym Mhort Talbot gyda Chlwb Rasio Wheelers ond fe'i gadawyd ar ôl gan y lleill.

Nid eu bai nhw oedd e. Diffyg hyder ar 'yn rhan i oedd y bai. Do'n i ddim yn credu y gallen i gadw lan â nhw felly, wrth gwrs, wnes i ddim.

Parhau wnaeth y diddordeb mewn seiclo ond wnaeth e byth ddychwelyd at y Wheelers. Cadwai nifer o'i ffrindiau gwmni ag e ar ei deithiau beic, Paul Crawford o Bwllyglaw a John Davies o Gwmafan yn eu mysg, ond byddai Geraint hefyd yn teithio pellteroedd ar ei ben ei hun – fel y diwrnod y seiclodd yr holl ffordd i Aberaeron i weld Anti Mat yn fuan wedi'i ben-blwydd yn 12 er mwyn dangos ei allu ar y beic Freddie Grubb anhygoel.

Gyda photel o ddŵr, brechdanau a chlogyn *oilskin* melyn, gadawodd Bontrhydyfen ar ôl brecwast gan gyrraedd ffarm fach ei Anti Lizzie ger Llanwrda yn hwyr y prynhawn. Yno cafodd groeso a phryd mawr o gig moch, wyau a thatws wedi'u ffrio cyn ailgychwyn – gyda chryn ymdrech erbyn hyn – a chyrraedd tŷ Mam-gu Llanddewi Brefi y noson honno. Fore trannoeth, daeth y daith i ben ar drothwy drws Anti Mat, a hithau wrth ei bodd yn ei weld yno. I grwtyn 12 oed, roedd taith fel hyn, tua 80 milltir bob ffordd, yn dipyn o gamp.

Roedd gweithgareddau awyr-agored yn rhan bwysig o'r cyfnod hwn. Trwy'r Urdd daeth sawl cyfle i wersylla, cerdded a mynydda a bu Geraint yn aelod brwd o'r Sgowtiaid am gyfnod, gan ennill sawl bathodyn anrhydedd a mwynhau'r gweithgareddau a'r gwmnïaeth. Gadawodd Geraint y Sgowtiaid yn ddiweddarach pan benderfynwyd ei fod e'n *disruptive influence* am iddo wrthod tyngu'r llw arferol i'r Frenhines.

Ar ôl un o'i wersi piano cynnar y prynodd Geraint ei record gynta, neu'n hytrach berswadio'i fam i'w phrynu iddo fe. Roedd e wedi clywed cân ar y radio o'r enw *The Ballad of the Alamo* gan Marty Robbins – cân annisgwyl efallai, ond roedd y nesa'n fwy eclectig fyth. Yr ail record yn y casgliad, wedi cynilo digon ar gyfer record hir, oedd *The Planets Suite* gan Holst.

Tua diwedd y pumdegau prynodd Bryn beiriant Pye Recordmaker yn fuan wedi iddyn nhw ymddangos. Roedd wrth ei fodd yn gwrando ar recordiau a gallai'r Recordmaker, fel mae'r enw'n awgrymu, recordio hefyd, ar ddisg magnetig drwy gyfnewid nodwyddau. Dyma roddodd gyfle i Geraint wrando ar ei recordiau ei hun, ac mae'r peiriant ganddo o hyd.

Yn addysgiadol, roedd 1962 yn garreg filltir bwysig arall,

adeg lle'r oedd yn rhaid gwneud penderfyniadau pwysig ynglŷn â pha drywydd academaidd i'w ddilyn. Roedd *Form 3* yn cynnig tri chyfeiriad gwahanol – Gwyddoniaeth, Technoleg neu Gelfyddydau – ac yn ei dro cafodd Geraint ei gyfweld gan y prifathro, Charlie Evans, a fu'n ei holi ynglŷn â pha bynciau yr hoffai arbenigo ynddyn nhw, gan ei annog i ddewis y pynciau hynny oedd yn apelio fwyaf ato. Roedd hi'n ddyddiau cynnar ar gyngor gyrfaoedd, gydag ychydig iawn o sylw'n cael ei roi i anghenion gyrfa wedi gadael ysgol. O ganlyniad, er bod bryd Geraint ar fynd yn ddylunydd technegol, neu *draughtsman*, dewisodd e *3T* oherwydd ei hoffter o waith coed a gwaith metel, heb i neb sylwi bod Ffiseg a Chemeg yn angenrheidiol ar gyfer ei yrfa ddewisol. Cymerodd hi flwyddyn i hyn ddod i'r amlwg ac erbyn iddo fe newid cwrs, roedd gweddill y dosbarth ymhell o'i flaen ac 'ro'n i'n gorfod rhedeg er mwyn sefyll yn llonydd, mewn gwirionedd'.

Yn y cyfamser roedd arwyr cerddorol newydd wedi disodli Marty Robbins – Joe Brown a'i *'Picture of You'* a Bobby Vee a'i *'Rubber Ball'*. Ganed Geraint ychydig yn rhy hwyr i Elvis a hyd yn oed y Cliff Richard cynnar, er bod y Shadows yn ffefrynnau o *'Apache'* ymlaen a *'Telstar'* y Tornados hefyd yn bwysig. Ond dyfodiad y Beatles greodd yr argraff fwya. Sylwodd e ddim gymaint ar *'Love Me Do'* yn llithro i mewn a mas o'r siartiau, ond pan gyrhaeddodd *'Please Please Me'* rif un, dyna hi! Roedd Geraint Griffiths wedi darganfod roc a rôl a doedd dim troi 'nôl.

Roedd pawb am fod fel y Beatles, gan gynnwys Geraint. Er bod ei gyfaill, Hefin Elis, wedi symud i Sandfields, Port Talbot, yn 1957, ro'n nhw'n dal yn ffrindiau agos, a phan brynodd Hefin gitâr Sbaenaidd ail-law roedd yn rhaid i Geraint gael un hefyd. Perswadiwyd Bryn i dalu am gitâr acwstig Rosetti 7, a chyda cryn dipyn mwy o arddeliad nag a roddwyd i'r piano aeth Geraint ati i ddatrys cymhlethdodau'r offeryn, a chyn hir roedd wedi meistroli cerddoriaeth y gyfres deledu *Dr Who*. Efallai mai dim ond dau nodyn oedd i'r dôn, ond roedd hyd yn oed y Beatles wedi gorfod cychwyn yn rhywle!

Yna, prynu llawlyfr enwog Bert Weedon, *Play in a Day*, wnaeth e a Hefin, a chyda cyfuniad o hwnnw a'u clust naturiol am gerddoriaeth, cyn hir fe allen nhw chwarae holl *hits* y Beatles. Dysgu'i hun i bob pwrpas wnaeth Geraint, heb wers yn y byd, er bod Hefin, oedd yn astudio cerddoriaeth, yn gymorth wrth ddatrys cordiau. Deuai'r ddau at ei gilydd yn rheolaidd i ddysgu ac i ganu caneuon y Beatles, gan fwynhau'n arbennig y canu harmoni oedd yn adlais o gefndir y ddau yn y capel.

Dechreuodd Geraint gyfansoddi caneuon cyn gynted ag y gallai chwarae, a hynny yn Saesneg fel ei arwyr. Roedd y canu a'r cyfansoddi'n bwysicach na'r gitâr, ond y gitâr oedd y cyfrwng i allu perfformio'r caneuon newydd hyn. Byddai'n arwyddo'i waith fel 'Kit', llysenw gafodd e gan gariad Hefin, a chasglwyd y geiriau a'r cordiau mewn *exercise book* clawr caled sydd wedi'i gadw hyd heddiw. Tu fewn i'r clawr mae'r teitl *Folk Song Book*, ei enw, ei gyfeiriad a rhestr o'r cynnwys. Yn fwy arwyddocaol, o bosibl, ar flaen y dudalen mewn llythrennau bras nodir taw *BOOK 1* yw'r gyfrol hon, gyda'r bwriad amlwg fod llawer mwy i ddod.

Cân gynta oll y cyfansoddwr 14 oed oedd *Lonesome Song*:

> When warm summer winds blow the grass so dry
> And trees push their leaves towards the blue summer sky
> It's then I remember the girl I once knew
> The girl that left me for somebody new
>
> I remember holding her lily-white hand
> And walking with her on the golden sand
> And sitting under the old oak tree
> Day after day, just her and me
>
> She's gone forever, I'll never see her again
> She's gone forever, I'll never see her no more
>
> I'll weep and I'll cry – my heart will be sad
> 'Cause I keep on remembering the fun that we had
> I won't love another though life is long
> 'Cause she's left me here to sing this lonesome song

Yn 1964 digwyddodd rhywbeth yng Nglanafan fyddai'n codi statws Geraint – ymysg ei gyd-ddisgyblion o leiaf. Roedd e a'i gyfaill, Clive Vincent, yn y stordy gwaith coed yn chwerthin a chwarae o gwmpas pan gawson nhw eu dal gan Viv Lewis, eu hathro. Fe'u hanfonwyd yn syth yn ôl i'r dosbarth a thra bod Clive wedi ufuddhau'n syth, oedodd Geraint a chafodd anogaeth bellach wrth i Mr Lewis roi slap iddo ar gefn ei ben. Ceisiodd yntau'i amddiffyn ei hun wrth godi'i law, gweithred a wylltiodd yr athro'n fwy. Wrth iddyn nhw gyrraedd y dosbarth, roedd Lewis yn dal i'w daro a Geraint yn dal i'w amddiffyn ei hun nes, yn y diwedd, o flaen y dosbarth i gyd, collodd Geraint ei dymer a throi ar yr athro gyda'i ddyrnau. Ni wnaeth fawr o niwed ond tawelodd Lewis, a chan sylweddoli 'i fod e efallai wedi mynd yn rhy bell, rhoddodd ddiwedd ar y sefyllfa wrth anfon Geraint yn ôl i'r stordy. Aeth y mater ddim pellach, ond roedd Geraint wedi ennill parch newydd ymhlith ei gyfoedion.

Am rai blynyddoedd dioddefai Geraint yddfau tost difrifol, gan gael ei daro gan bob annwyd posib a chan donsilitis o leia ddwywaith y flwyddyn, a barai ei fod yn colli cyfnodau o ysgol bob tro. Yn y diwedd penderfynwyd fod yn rhaid i'r tonsils fynd, ac ar 17 Tachwedd 1964 aeth Geraint i Ysbyty Penrhiwtyn am lawdriniaeth. Treuliodd wythnos yno cyn dychwelyd adre am ychydig ddiwrnodau ac yna cafodd fynd i aros gydag Anti Mat yn Llanddewi i wella. Pan ddaeth e 'nôl i Bontrhydyfen doedd ond wythnos i fynd cyn y Nadolig ac roedd e wedi colli'r arholiadau diwedd tymor.

Erbyn hyn, cerddoriaeth, a'r Beatles yn arbennig, oedd prif ddiddordeb Geraint, ac wrth iddo ddechrau cyfansoddi'i ganeuon ei hun cymerodd ddiddordeb mawr yn nyfodiad Bob Dylan a Donovan. Bu arddull *finger-picking* Donovan ar y gitâr yn ddylanwad mawr, ond Dylan oedd y dylanwad fel cyfansoddwr. Pan aeth y grŵp Americanaidd The Byrds i frig y siartiau yn 1965 gyda *Mr Tambourine Man* ro'n nhw'n cael eu hystyried fel bygythiad i frenhiniaeth y Beatles, ond roedd Geraint eisoes yn gyfarwydd â nhw. Roedd gan Clive Vincent chwaer oedd yn byw yn America, ac ar daith i'w gweld hi roedd e wedi prynu record hir gynta'r Byrds ar ôl sylwi bod yno gân am Gymru, '*The Bells of Rhymney*', sef addasiad o gerdd y bardd Cymreig Idris Davies. Cafodd Geraint yntau ei swyno gan eu sain llawn harmoni a thyfodd y Byrds yn ddylanwad allweddol arall ar ei gerddoriaeth.

Yn 1965 yr ymunodd Geraint â'i grŵp pop cynta. Roedd ei gyfaill beicio, John Davies, hefyd wedi ymddiddori yn y gitâr ac wedi ymuno â grŵp lleol gyda ffrindiau o'r clwb ieuenctid yng Nghwmafan – Keith Williams ar y gitâr flaen, Phil Murphy ar y drymiau a Mike McCarthy ar y bas ac yn canu. Yn anffodus roedd Mike yn cael trafferth gwneud y ddau beth ar yr un pryd ac awgrymodd John y gallai ei ffrind Geraint ymuno ar y bas, ac felly y bu. Daeth hi'n amlwg yn fuan bod llais cryf Geraint yn gaffaeliad i'r grŵp ond profodd yntau'r un anhawster o fethu â chanu a chwarae bas ar yr un pryd. Doedd dim amdani ond i John ymgymryd â'r bas ac i Geraint chwarae rhythm a chanu.

Roedd angen gitâr newydd nawr, un drydan, gan na fyddai'r Rosetti acwstig i'w chlywed mewn grŵp o'r fath. Clywodd Geraint fod Tony Bennett o'r Telamites yn gwerthu'r offeryn delfrydol ac, wedi bargeinio am y pris gorau, daeth yn berchen ar Hofner Verithin *cherry-red* semi-acwstig.

Roddwyd mo'r byd ar dân, ond datblygodd poblogrwydd y grŵp yn raddol wrth iddyn nhw gynnal nifer o nosweithiau mewn clybiau ieuenctid lleol ac Aelwyd yr Urdd yn ystod haf 1965. Yn y dechrau, caneuon *rhythm and blues* a'r Rolling Stones oedd craidd eu set, ond buan iawn y llwyddodd Geraint i gyflwyno ambell gan gân Donovan a'r Byrds. Bu'r criw gyda'i gilydd am fisoedd cyn enwi'r grŵp, ac yn y diwedd penderfynwyd ar yr enw ysbrydoledig The Undecided. Wnaeth pethau ddim para'n hir – ar yr union adeg pan oedd asiant lleol yn barod i'w rhoi ar ei lyfrau aeth 'diddordebau amrywiol' yr aelodau yn drech na nhw a daeth The Undecided i ben.

Ond o fewn misoedd roedd Geraint a John wedi ffurfio grŵp newydd gyda Darrell Watkins, Hefin Elis a John Griffiths. Er na pherfformion nhw o flaen cynulleidfa fe fuon nhw'n ymarfer yn selog bob dydd Sadwrn gan wella'u crefft fel cerddorion dan yr enw amserol, o ystyried y cyfnod, The Dream Time People.

Ym mis Medi 1965, daeth dihangfa o gyfyngder 23 Oakwood Row wrth i dŷ capel Jerusalem ddod yn wag, tŷ tipyn mwy oedd yn cynnig tair ystafell wely, y drydedd yn draddodiadol ar gyfer pregethwyr o bell. Barn Bryn a Ray oedd fod y rhan fwyaf o weinidogion bellach yn berchen ar geir ac yn gallu, ac yn dymuno, teithio adre, ac ar yr adegau prin hynny pan fyddai angen i bregethwr aros dros nos roedd ystafell sbâr gan Anti Gwladus yn Penhydd Street. Roedd lle felly i Bryn a Ray, Geraint ac Anti Mary Ann gael ystafell yr un. Fel rhan o'r drafodaeth ynglŷn â'r rhent addawodd y diaconiaid – ac roedd Bryn yn un ohonyn nhw – osod ystafell ymolchi a thoiled yn y tŷ, ond araf fu'r trefniadau ar gyfer hynny, rhywbeth fyddai'n creu drwgdeimlad yn ddiweddarach. Wrth symud ar draws y Bont Fawr, ychydig feddyliai Geraint y byddai'n treulio llai na blwyddyn yno cyn gadael cartre.

Y flwyddyn ganlynol, 1966, oedd blwyddyn y *GCEs* neu'r *O levels*, a doedd y rhagolygon ddim yn dda. Roedd Glanafan wedi llwyddo i greu ymdeimlad o fethiant academaidd yn Geraint, ac er mai bod yn gerddor oedd y freuddwyd, roedd gwireddu'r freuddwyd honno'n fwy o broblem, a phan ddaeth y canlyniadau – 5 Lefel O mewn Mathemateg, Saesneg, Gwaith Metel, Gwaith Coed a *Tech Drawing* – roedd hi'n amlwg y byddai'n rhaid dod o hyd i waith bob-dydd yn gynta. Anfonodd gais at Gwmni Dur Cymru ym Mhort Talbot am swydd fel dylunydd technegol, neu *draughtsman*, ond methu wnaeth y cais hwnnw, fel yr un nesa at gwmni peirianwyr sifil Andrew Scott. Doedd dim gobaith dilyn y llwybr hwnnw heb y Lefelau O allweddol, Cemeg a Ffiseg.

Awgrymodd ei gyfnither, Margaret Griffiths, oedd yn gweithio yn y Trustee Savings Bank, y dylai ystyried gwneud cais am swydd gyda'r banc, ac roedd y cyflog posibl yn abwyd – gallai fforddio gitâr ac amp digon deche wedyn – ond cael ei wrthod wnaeth e eto. Beth arall oedd ar ôl? Yr unig beth yr oedd Geraint am ei wneud oedd chwarae'i gitâr, canu a chyfansoddi.

Unwaith eto, Anti Mat ddaeth i'r adwy gan awgrymu, yn naturiol o gofio'i gyrfa hi'i hun, ei fod yn ystyried mynd yn nyrs. Ei ymateb cynta, yn nodweddiadol o'r cyfnod, oedd nad gwaith i ddyn oedd nyrsio. Ond y diwrnod canlynol yn yr ysgol bu'n trafod yr awgrym gyda Ghengis Ghoshkum, cyd-ddisgybl o dras Twrcaidd, oedd â golwg wahanol ar y peth. 'Gwych,' medde fe, 'meddwl amdani – ti a'r holl ferched.'

Roedd rhywun wedi rhoi gwedd bositif i'r syniad ac roedd hynny'n ddigon i sbarduno Geraint ymlaen. Gwnaeth gais i Ysbyty Rhydlafar ger Caerdydd a chael ei dderbyn ar gyfer mis Medi.

Cyn mentro mas i'r byd mawr roedd gwyliau haf olaf plentyndod i'w mwynhau, gan gynnwys wythnos yng ngwersyll yr Urdd, Glan-llyn. Aeth yno gynta yn 1964, gyda'i gyfaill, Hefin Elis, ac er mai hwylio, canŵio, cerdded a mynydda oedd prif atyniadau'r ganolfan, atyniadau llai awyr-agored y ganolfan aeth â bryd y ddau, sef canu – caneuon y Beatles, gan amlaf, er gwgu ambell swyddog – a merched. Nid fod Geraint yn hyderus yng nghwmni'r fath greaduriaid, ond buan iawn y newidiodd pethau. Yn ystod eu hail ymweliad yno yn 1965 cafodd Hefin ei swyno gan ferch o Bontyberem, ac ychydig wythnosau'n ddiweddarach mynnodd e fod Geraint yn mynd gydag e i Gwm Gwendraeth er mwyn i Hefin gael ailgydio yn y berthynas. Dim ond ar ôl cyrraedd a chael nad oedd hi gartre y cyfaddefodd Hefin nad oedd e wedi trefnu cyfarfod, dim ond wedi mynd mewn gobaith. Fe fu hi'n siwrne hir adre.

Yn sgil y diddordeb newydd mewn merched, aeth Hefin ati i drefnu parti yn ei dŷ yn Sandfields yn absenoldeb ei rieni. Gwahoddwyd merched yno, roedd y gerddoriaeth yn uchel ac roedd alcohol wedi'i smyglo i mewn, yn bennaf er mwyn gwneud y merched yn fwy 'graslon'. Roedd y parti yn ei anterth pan fflachiodd golau llachar ar draws y ffenest ffrynt. Wrth i Hefin edrych drwy'r llenni sylweddolodd fod ei rieni 'nôl yn gynnar. Panig, wrth i bawb redeg o gwmpas yn wyllt gan afael ymhob potel a chan a'u taflu trwy'r drws cefn. Ond roedd hi'n rhy hwyr, a'r Parchedig Robert Elis, dyn duwiol, syber a sobor, wedi gweld digon i sylweddoli'n union beth oedd yn mynd ymlaen. Daeth y parti i ben yn ddigon diseremoni wrth i bawb gael eu hel adre.

Roedd profiadau Geraint yng Nglan-llyn wedi bod yn ddigon diniwed yn 1964 a 1965, ond ar ei ymweliad olaf â'r gwersyll, fe gyfarfu â Ffrances o'r enw Sylvie Beaumont, merch lawer mwy aeddfed na merched y blynyddoedd cynt – ac aeddfetach na Geraint ei hun. Cyfarfu'r ddau ar y noson gynta a threulio pob munud posibl yng nghwmni'i gilydd. Roedd hyn yn brofiad newydd ac yn brawf pellach fod dyddiau bachgendod wedi dod i ben.

GADAEL CARTRE

Ysbyty ac ysgol breswyl oedd Rhydlafar, ac er mai dim ond 17 oed oedd Geraint – ifanc ar y pryd i adael cartre – roedd yna gynnwrf hefyd wrth ymadael â Phontrhydyfen. Wrth ymgymryd â dwy flynedd o gwrs hyfforddi *orthopaedic*, cafodd lety yng nghartre'r nyrsys – ystafell iddo fe'i hunan gyda gwely sengl, bwrdd, wardrob a basn ymolchi. Yn ogystal, roedd gan bob asgell ystafell gyffredin a chegin i'w rhannu. Tynnwyd cyfran o'i gyflog, £11 y mis, i dalu am ei holl brydau bwyd, trydan, lifrai a golchi dillad gwaith a phersonol. Roedd disgwyl iddo fe wneud ei wely'i hun ond byddai'r cynfasau'n cael eu newid yn wythnosol.

Ar ddiwedd y dydd roedd yna arian dros ben i'w wario ar hobi newydd fyddai'n tyfu'n ddiddordeb oes. Prynodd Geraint ei gamera cynta gyda'i gyflog cynta oll, Rocca 35mm ail-law gyda mesurydd golau integredig, ynghyd â llyfr ar ffotograffiaeth.

> Ro'n i'n hoff o dynnu beth o'n i'n ystyried yn lluniau *arty* o goed, niwl a dŵr rhedegog. Hefyd, lluniau o ffrindiau a theulu, mewn du a gwyn fynycha. Dyna oedd cyfrwng ffotograffwyr 'go iawn' a, beth bynnag, roedd ffilm lliw'n ddrutach ac yn anoddach i ddal y ddrama o'n i'n anelu amdani. Oedd, roedd fy lluniau i'n tueddu i fod yn *pretentious*!

Oed pleidleisio ar y pryd oedd 21, ac roedd rheolwyr yr ysbyty'n ymwybodol iawn o'u cyfrifoldeb tuag at y rhai dan oed oedd dan eu gofal, gan osod rheolau llym ynglŷn â gwisg ac ymddygiad, ac roedd yn rhaid bod yn y gwely erbyn un ar ddeg. Yn ystod y nos byddai'r *sister* neu'r *charge nurse* oedd yng ngofal y wardiau hefyd yn ymweld â chartre'r nyrsys, gan agor pob drws yn unigol a thaflu golau fflachlamp dros bob gwely er mwyn sicrhau fod yna rywun, a dim ond *un* rhywun, yno.

Rhywbeth rhyfedd i Geraint, ar y cychwyn o leia, oedd nad oedd y nyrsys byth yn defnyddio'u henwau cynta, hyd yn oed ffrindiau pennaf. Daeth i arfer â'r drefn honno, ond gwrthododd arfer arall, sef ei deitl fel 'nyrs gwryw':

> Mae'n amlwg i bawb taw gwrywaidd ydw i – ro'n i wastad yn cyfeirio ata i fy hunan fel 'nyrs', sef disgrifiad o'r gwaith o'n i'n ei wneud.

Doedd dynion oedd yn hyfforddi i nyrsio ddim yn anghyffredin yn Rhydlafar; yn eu plith roedd grŵp o Mauritius oedd wedi'u recriwtio oherwydd prinder nyrsys ledled Prydain. Roedd eu cwmni'n fwynhad ac yn addysg.

Ysbyty *orthopaedic* oedd Rhydlafar, a'r hyfforddiant o'r herwydd yn benodol i'r rhan honno o feddygaeth. Teitl y cwrs dechreuol a barai am wyth wythnos oedd *Preliminary Training Course*, lle dysgid anatomi, ffisioleg, dulliau nyrsio a sut i gadw cofnodion manwl, ac, er nad oedd wedi disgleirio yng Nglanafan, cafodd Geraint hwyl wrth ddilyn trywydd newydd. Oherwydd ei allu mewn darlunio technegol, ganddo fe roedd y *diagrams* gorau o ddigon yn y dosbarth. Llwyddodd nid yn unig i fod y bachgen cynta i ddod yn gynta yn ei ddosbarth, ond hefyd i fod y person cynta i gael 100% mewn papur anatomi, camp ddwbwl nad oedd wedi'i chyflawni gan unrhyw fyfyriwr yn hanes Rhydlafar. Yn sydyn iawn roedd hunanhyder Geraint wedi cael hwb sylweddol.

Rhennid y cwrs yn ddarlithoedd ffurfiol a chyfnodau ar y ward er mwyn profi ymarferoldeb y theori a ddysgid yn y dosbarth. Tiwtoriaid oedd wedi bod yn nyrsys eu hunain oedd y darlithwyr gan fwyaf, gydag arbenigwyr o feysydd ffisiotherapi, meddygaeth a fferyllaeth hefyd yn cyfrannu at addysg y myfyrwyr. Y prif ddiwtor oedd Miss Attwater, gwraig ddangosodd gryn ffydd yn nyfodol Geraint yn sgil ei lwyddiant cynnar – roedd gan un o ysbytai Caerdydd, y *Cardiff Royal Infirmary*, enw arbennig o dda yn y cyfnod, ac o ganlyniad roedd y gystadleuaeth am swyddi yno'n ffyrnig, ond credai Miss Attwater y byddai gallu Geraint a'i dylanwad hi yn ddigon i sicrhau lle iddo yno pan ddeuai'r amser.

Pennaeth cartre'r nyrsys oedd Sister O'Brien, Gwyddeles a fyddai'n cyfeirio at Geraint fel *'himself'*, rhywbeth estron iddo fe ar y pryd; yn ddiweddarach y sylweddolodd e'r tebygrwydd rhwng *'and how's himself?'* a 'shwd ma' fe?' Sir Aberteifi. Yn draddodiadol, gwragedd oedd *sisters* y cartre, gan amlaf yn ddibriod ac wedi cysegru'u hunain i'w galwedigaeth.

Yn Ward 5 y profodd Geraint nyrsio ymarferol am y tro cynta, ward i fechgyn bach rhwng pedair ac wyth oed, rhywbeth oedd yn ei gwneud hi'n haws gan nad oedd y cleifion yn fygythiad fel y gallai dynion hŷn fod. Clefyd cyffredin i nifer o'r bechgyn oedd *perthes*, cyflwr lle mae'r belen ar asgwrn y morddwyd, yn y man lle mae'n ymuno â'r glun, yn meddalu.

Roedd yn rhaid iddyn nhw aros mewn *splints plaster of Paris* ond bydden nhw'n llwyddo i symud cystal nes eu bod nhw'n edrych fel crancod yn cerdded ar hyd y ward.

Wedi'r bedydd gweddol gyffyrddus hwn, cafodd Geraint brofiad o weithio ymhob un o'r wardiau, a chyda chleifion o bob oed, yn ystod ei gyfnod yn Rhydlafar.

Ym Mhontrhydyfen, roedd hiraeth naturiol ar ei ôl, er ei fod yn dychwelyd adre bob penwythnos i weld Bryn a Ray, ac yn y cyfnod cyn bod ffôn, sefydlwyd patrwm o lythyra, gyda Geraint yn anfon yn wythnosol at ei dad, ei fam ac Anti Mat. Yn ôl arfer gyffredin y cyfnod, yn Saesneg yr ysgrifennid y llythyrau cynta, nes i Geraint newid i'r Gymraeg, i raddau helaeth er mwyn cadw'i hunaniaeth mewn gweithle ac amgylchedd oedd yn hollol Seisnig.

Cyn iddo adael, llwyddodd Geraint i argyhoeddi Bryn i roi digon o arian iddo fe ar gyfer prynu gitâr safonol y gallai fynd â hi gydag e i'w chwarae yn ei ystafell, a phrynodd gitâr acwstig Hagstrom, gitâr sydd wedi para bron i ddeugain mlynedd. Daliodd ati i gyfansoddi, yn Saesneg, ond fis ar ôl cychwyn yn Rhydlafar, yn Hydref 1966, digwyddodd trychineb gafodd effaith fawr arno, pan lithrodd tomen lo anferth ger pentre Aberfan gan gladdu'r ysgol a lladd 144, a 116 ohonyn nhw'n blant. Ei ymateb oedd cyfansoddi'i gân gynta yn y Gymraeg, cân o'r enw *Teyrnged*:

Nes daw yr haul yn ôl dros y bryn
Nes daw yr adar i ganu yn y glyn
Dim nes hynny y canaf i
I ble aeth y plant? O, i ble aeth y plant?
Dowch yn ôl, dowch yn ôl i'ch gwlad

Nes daw y môr yn ôl i'r tir
Nes daw y coed yn ôl i'r allt
Dim nes hynny y canaf i
I ble aeth y plant? O, i ble aeth y plant?
Dowch yn ôl, dowch yn ôl i'ch gwlad.

Fe aethoch yn y nos, yn y nos
Dan olau y lloer yn dawel, mor dawel

Nes daw yr eira yn ôl i'r Wyddfa
Nes daw y dŵr yn ôl i'r Nedd
Dim nes hynny y canaf i
I ble aeth y plant? O, i ble aeth y plant?
Dowch yn ôl, dowch yn ôl i'ch gwlad

Anfonwyd un bachgen, un o'r ychydig fu'n ddigon ffodus i ddianc rhag cyflafan Aberfan, am driniaeth i Rydlafar, ac wrth i'r newyddion am hynny ledu cafodd yr ysbyty sylw cynyddol. Bu'n rhaid delio â'r cannoedd o deganau ac anrhegion a anfonwyd at y crwtyn bach o bob rhan o'r byd; yn y pen draw roedd yn rhaid clustnodi dwy neu dair ystafell sbâr er mwyn storio'r holl roddion.

Fel rhan o'r dosbarth anatomi disgwylid i'r myfyrwyr fedru adnabod strwythur esgyrn, ac i'r perwyl hwnnw roedd yna focsys yn llawn esgyrn dynol wedi'u cyfrannu gan noddwyr er budd astudiaeth feddygol a hyfforddiant nyrsys. Am ryw reswm cafodd Geraint ei hudo gan un asgwrn yn arbennig, rhan o'r asgwrn cefn a geir yn y gwddf, sef y *cervical vertebra*.

36

Er mawr gywilydd i fi, rhois i'r asgwrn ar *thong* a'i wisgo rownd 'y ngwddf ac fe ges i f'adnabod wedyn fel y boi â'r asgwrn.

Adeg *Flower Power* oedd hi, a rhan o hanfod yr *hippies* gafodd ddylanwad ar Geraint ac ar gymaint o'i genhedlaeth am flynyddoedd i ddod, oedd cariad yn hytrach na rhyfel, ac fel symbol o hynny daeth hi'n arfer gwisgo blodau yn y gwallt a gwisgo mwclis am y gwddf. Asgwrn, fodd bynnag, oedd am wddf Geraint:

Y peth yw, asgwrn dynol oedd hwn, fuodd e'n perthyn i rywun, buodd e fyw, buodd e'n anadlu, cafodd e 'i eni, buodd e farw. Roedd e'n rhodd gan rywun ac mae e'n dal 'da fi. 'Nes i 'i drin e â pharch mawr ac, i fi, roedd e'n ymgorffori holl ethos yr Hipi ar y pryd.

Yn nes ymlaen casglodd ragor o'r *vertebrae* hyn, a'u rhoi fel anrheg i nifer o gariadon, gan gynnwys ei wraig.

Bellach, roedd apêl y Beatles wedi pylu i Geraint, gyda Bob Dylan a Donovan yn cael mwy o sylw a dylanwad – dechreuodd ddefnyddio *pick* bys bawd yn hytrach na *plectrum*, yn null Donovan o drin y gitâr, ac am gyfnod bu'n arbrofi gyda *picks* ar y bysedd eraill hefyd, ond pharodd hynny ddim yn hir, er i'r *pick* bawd ddod yn rhan ganolog o'i arddull gitâr.

Ar un o'i ymweliadau penwythnosol adre i Bontrhydyfen, roedd cyngerdd wedi'i threfnu yn Ysgol Sul Jerusalem ac yno y perfformiodd Geraint ei gân Gymraeg gynta, *Teyrnged,* gyda chymorth ei gefnder, John, a fersiwn y ddau o *John Riley*, cân werin o'r Alban oedd wedi'i haddasu gan y Byrds. Dyma'i unig berfformiad cyhoeddus gydol ei amser yn Rhydlafar.

Wrth i'r misoedd fynd heibio aeth yr ymweliadau wythnosol adre'n llai rheolaidd; y tro cynta iddo fethu penwythnos, ym mis Tachwedd 1966, roedd yna ferch yn rhan o'r stori, wrth i Geraint benderfynu fod diwrnod rhamantus yn Sain Ffagan yn fwy o atyniad na thaith hir arall adre yng nghanol gaeaf. Roedd e'n gam arall naturiol tuag at adael ei blentyndod ar ôl.

Yn 1967 y profodd Geraint ei gyfnod cynta o waith nos, gan dreulio tri mis yn dilyn patrwm o wyth shifft nos yn olynol, yna bedwar diwrnod rhydd. Ar un olwg roedd y gwaith yn ddigon digyffro: plant oedd y rhain oedd wedi treulio cyfnod hir yn yr ysbyty, felly fe fydden nhw'n cysgu drwy'r nos, a byddai'r *sister* yn galw heibio bob dwy neu dair awr, ond i fachgen dan ddeunaw roedd yna gryn gyfrifoldeb o fod â gofal ward blant o ddeg ar hugain o welyau. Ond ar wahân i'r cyfrifoldeb, roedd e'n gyfnod tawel, a dull Geraint o ddelio â'r oriau hir oedd dechrau barddoni, eto yn Saesneg:

Nid barddoniaeth arbennig o dda, rhyw lif-yr-ymennydd, gyda lot o ddylanwad Tolkien; teitlau fel *Prediction '68*, *Symptoms of Time*, *Druid Soap* a *Lady with a Bassoon.*

Mae'r pentwr o gerddi a gynhyrchwyd yn y cyfnod yn dal yn ei feddiant ond ymhell o olwg y byd!

Tua'r adeg yma y cyfarfu Geraint ag Ann, merch o Sandfields, Port Talbot, a hynny trwy ei hen gyfaill, Hefin Elis. Roedd Ann ac yntau'n gyd-ddisgyblion yn Ysgol Gyfun Sandfields, yn astudio pynciau tebyg, ac wedi i rieni Hefin symud i Wrecsam aeth Hefin i fyw at Ann a'i rhieni am ddeunaw mis er mwyn peidio ag aflonyddu ar ei astudiaethau lefel A. Roedd y ddau'n cymryd rhan mewn sioe ysgol o'r enw *Alive and Kicking*, a chafodd Geraint wahoddiad gan Hefin i ddod i'w gweld; yno y daeth Geraint ac Ann wyneb yn wyneb am y tro cynta.

Wythnos yn ddiweddarach, mewn dawns clwb ieuenctid yn Nhaibach, daeth y ddau at ei gilydd eto – yntau, yn ddyn cyflogedig, yn teimlo'n soffistigedig ar y naw yn ei got law *Terylene* tri-chwarter na chafodd ei thynnu hyd yn oed ar gyfer y dawnsio. Mae'n rhaid ei fod e wedi gwneud argraff wrth i Ann gytuno iddo fynd â hi adre'r noson honno, a sawl noson wedi hynny. Datblygodd y berthynas a chafodd Ann anrheg arbennig gan Geraint – ie, *cervical vertebra*! Dechreuodd Geraint deithio'n rheolaidd i Bort Talbot i weld

Ann, gan ddibynnu ar gwmni bysiau N & C i wneud hynny. Un noson oer a gwlyb o aeaf, buodd yna gryn oedi ar y ffordd 'nôl ar ôl bod yn gweld Ann – doedd traffordd yr M4 heb dreiddio i berfeddion Morgannwg bryd hynny, felly doedd gan yrrwr y bws ddim dewis ond dilyn heol droellog yr A48, gan stopio'n aml.

Erbyn i'r bws gyrraedd Croes Cwrlwys a gollwng Geraint, roedd hi'n hanner nos ac roedd yna ddwy filltir arall i'w cerdded ar hyd hewlydd tywyll, cul a gwlyb cyn cyrraedd Rhydlafar. Pan ddaeth i ddiwedd y daith roedd e'n wlyb diferu, roedd hi ymhell tu hwnt i awr clwydo un ar ddeg, ac roedd y drws ffrynt wedi'i gloi. Roedd e wedi rhagweld hyn, fodd bynnag, ac wedi gadael ffenest ei ystafell ar agor. I mewn ag e drwyddi, ond, wedi tynnu'i got, clywodd y *sister* yn dod ar hyd y coridor. Neidiodd i'r gwely yn ei ddillad wrth i'r drws agor ac i'r golau ddisgyn ar draws y gwely. Yna clywodd y drws yn cau a chwerthin wrth i'r sŵn traed bylu. Sylweddolodd y rheswm dros y chwerthin wrth gofio, er iddo ddiosg ei got, fod ei gap yn dal ar ei ben. Erbyn hyn roedd y gwely'n socian – ond pris bach i'w dalu oedd hwnnw am drosedd mor ddifrifol yng ngolwg yr ysbyty a, thrwy lwc neu rywbeth tebyg, chlywodd Geraint ddim gair pellach am y peth.

Ward ar gyfer cleifion â niwed i'r asgwrn cefn oedd Ward 12, cleifion wedi'u parlysu o'u canol i lawr gan fwyaf, ond rhai o'r gwddf i lawr. Treuliodd Geraint ddeufis yno, a'i brif gyfrifoldeb oedd troi'r cleifion gan na allen nhw wneud hynny drostyn nhw'u hunain. Bob dwy awr, ddydd a nos, byddai'n rhaid troi'r dynion o'u hochor chwith i'r dde, ac yna, ddwy awr yn ddiweddarach, o'r dde i'r chwith. Gyda deg ar hugain ar y ward, roedd hyn yn waith caled yn gorfforol ac yn gyfrifoldeb sylweddol – gwyddai Geraint yn iawn y gallai esgeuluso'r gwaith ailadroddus hwn olygu canlyniadau difrifol iawn i'r cleifion.

Ar ei ddiwrnod cynta yn Rhydlafar roedd Geraint wedi cwrdd â rhywun fyddai'n ffrind oes, wrth i fachgen tal, pengoch, lletchwith yr olwg â sbectol am ei drwyn guro ar ei ddrws, hyrddio'i ffordd i mewn ac estyn ei law a chyflwyno'i hun fel Merlin Ambrose, myfyriwr yn ei ail flwyddyn. Brodor o

Gaerfyrddin oedd Merlin a phrin y dychmygai'r ddau bryd hynny beth fyddai arwyddocâd y dref honno iddyn nhw yn y dyfodol.

Cyflwynwyd Geraint i fyd y moto-beic gan Merlin, ond fe gymerodd hi ddeunaw mis cyn i Geraint allu fforddio prynu'i feic ei hun: James Captain gyda pheiriant 200cc Villiers, a brynwyd yng Nghasnewydd oddi ar frawd un o'r nyrsys. Er i'w gariad at feiciau modur bara, ni thyfodd y cariad tuag at y James Captain gystal – peiriant digon anwadal oedd e, a thorrodd i lawr sawl gwaith cyn cael ei droi'n sgrap yn y diwedd.

Daeth Geraint i gysylltiad â chymeriad o'r enw Reg, gŵr tua 30–35 oed, hen ddyn i Geraint ar y pryd, a ddeuai o gwmpas y wardiau gyda'i droli yn gwerthu papurau newydd, losin a sigaréts. Er ei fod yn ddyn priod a chanddo ddwy ferch fach, roedd wrth ei fodd yn llygadu'r nyrsys benywaidd ar ei deithiau. Gyrrai *minivan* a byddai'n defnyddio hwnnw i roi gwersi gyrru am ddeg swllt (50c heddiw), tipyn rhatach na'r £2 y byddai hyfforddwr proffesiynol yn ei godi. Yn rhyfedd ddigon, dim ond y myfyrwyr benywaidd fyddai'n cael cynnig gwersi!

Ceisiodd Geraint ddwyn perswâd ar Reg i roi gwersi iddo fe, ac ar ôl gwrthod sawl gwaith, cytunodd yn y diwedd. Ar ôl pob gwers byddai Reg bob amser yn osgoi mynd adre'n syth: byddai'n awgrymu ymweliad â'r *Con Club* yn y Tyllgoed lle byddai e'n prynu'r cwrw a'r ddau'n chwarae snwcer.

Ar ôl rhyw hanner dwsin o wersi tybiai Reg fod Geraint yn barod ar gyfer ei brawf. Pan ofynnodd yr arholwr iddo ddarllen rhif car cyfagos, atebodd Geraint, 'Bydde hi'n ddoniol os taw 'nghar i fydde fe, on' bydde hi?' Dim golwg o wên, felly gwyddai Geraint fod pethau wedi dechrau'n wael, a wnaeth taro bin sbwriel wrth wneud y *three-point turn* ddim lles i'w achos chwaith. Methu wnaeth e, ond ychydig fisoedd wedyn cafodd well hwyl arni'r ail dro.

Gartre, roedd Ray'n dal i gasglu arian yswiriant i'r Refuge, ond roedd iechyd Bryn wedi bod yn dirywio ers tipyn, a châi boenau yn ei stumog. Yna daeth pwysau ychwanegol arno fe wrth i'r Swyddfa Bost ddiddymu'r dull o ddosbarthu â beic a gorfodi pob postmon i basio prawf gyrru. Rhoddwyd pythefnos i Bryn ddysgu, amser cwbwl annigonol, ac ar ben ei broblemau iechyd roedd hyn yn ormod. Penderfynodd ymddeol.

Aeth i weld nifer o arbenigwyr, yn lleol ac mor bell â Chaerdydd. Yn y diwedd cafodd ddiagnosis ei fod yn dioddef o gancr y stumog, oedd yn mynnu llawdriniaeth ar unwaith. Ar ben hynny, er na ddywedwyd wrth Bryn, cafodd Ray wybod mai dim ond pum mlynedd y gellid disgwyl i Bryn fyw wedi hyn. Bu Bryn Griffiths fyw hyd 1997 – chwarter canrif yn fwy na'r disgwyl – felly mae'n rhaid fod yna wellhad gwyrthiol wedi bod, neu bod y doctoriaid wedi gwneud camgymeriad.

Roedd y moto-beic yn hollol annibynadwy erbyn hyn, yn methu â chychwyn gan beri i Geraint fod yn hwyr i'r gwaith. Roedd hi'n amser prynu car, neu'n hytrach *minivan*, y peth agosaf at y delfryd ar y pryd, sef naill ai Batmobile neu Volvo *estate*. Gwelodd un ar werth yng Nghynffig am £90, oedd yn fwy o arian nag y gallai fforddio, felly plediwyd ar Dad ac Anti Mat i helpu.

Llwyddodd Geraint i gwblhau ei gwrs dwy flynedd yn Rhydlafar gan ennill Tystysgrif Nyrsio Orthopedig. Nawr, roedd yn rhaid gwneud penderfyniad. Er bod Miss Attwater yn dal i'w annog i fynd i Gaerdydd, roedd Caerfyrddin hefyd yn apelio, am nifer o resymau. Yn gynta, roedd ei gyfeillgarwch gyda Merlin Ambrose wedi tyfu ac roedd hwnnw'n mynd 'nôl i Gaerfyrddin i astudio ar gyfer ei SRN (*State Registered Nurse*). Yn ail, ac efallai'n bwysicach, roedd Ann wedi'i derbyn gan Goleg y Drindod ar gyfer cwrs hyfforddi athrawon.

Profodd Geraint gymaint o bethau yn Rhydlafar: cafodd ganlyn merched, darganfod beiciau modur a chwrdd â chyfaill arbennig yn Merlin Ambrose – sy'n dal yn ffrind agos ac yn byw ychydig funudau o gartre Geraint heddiw. Ar ben hyn, derbyniodd gyfrifoldebau sylweddol i rywun o'i oed, ac, yn eu sgil, aeddfedodd y tu hwnt i'w flynyddoedd a magu hunanhyder newydd.

CAERFYRDDIN

Gyda'i holl drugareddau yng nghefn y *minivan*, gyrrodd Geraint i Ysbyty Glangwili ym mis Medi 1968, gan gychwyn ei berthynas hir â Chaerfyrddin. Ond bron wrth iddo gyrraedd y dref, dechreuodd amau'i hun. Ai dyma oedd y trywydd iawn iddo fe? Oedd e am fod yn nyrs am weddill ei fywyd? Oedd 'na rywbeth gwell iddo fe yn rhywle? Ar ôl dwy flynedd yn Rhydlafar, oedd e'n barod i ymroi i flynyddoedd o hyfforddi eto cyn dod yn nyrs trwyddedig? Aeth y cwestiynau hyn i gyd trwy'i feddwl ac aeth mor bell ag edrych ar y posibilrwydd o ymuno ag Ann ar gwrs hyfforddi athrawon Coleg y Drindod, ond, yn y diwedd, cadw at y llwybr nyrsio wnaeth e.

Roedd patrwm y cwrs SRN yng Nglangwili yn debyg iawn i'r cyfnod yn Rhydlafar, sef cyfuniad o ddarlithoedd a phrofiad ymarferol ar y wardiau, ac unwaith eto cafodd Geraint lety yng nghartre'r nyrsys. Ar ddrws ei ystafell gosododd arwydd *The Swamp* fel teyrnged dafod-yn-y-boch i babell y meddygon milwrol Hawkeye Pierce a Trapper John McIntyre yn y ffilm a'r gyfres deledu *M*A*S*H*.

Adlais arall o Rydlafar oedd criw arall o Mauritius ddaeth yn gyfeillgar â Geraint trwy gerddoriaeth – dysgon nhw gerddoriaeth *sega* iddo fe, sef cerddoriaeth rythmaidd â thinc Indiaidd, gan ddefnyddio unrhyw beth oedd wrth law, fel tuniau bisgedi; yn ogystal, cafodd Geraint hyfforddiant ar weithio cyrri. Ym mis Tachwedd cafodd ei gyflwyno i ŵyl *Diwali*, lle dethlid buddugoliaeth y duw Rama dros y brenin drwg Rawan. Rhan o'r ddefod oedd llafarganu gweddi am ddigonedd, yn wreiddiol am gynhaeaf da neu dymor pysgota llewyrchus, ond yng Nglangwili'r chwedegau tuedd y myfyrwyr oedd gweddïo am godiad cyflog neu lwyddiant yn yr arholiadau – crefydd wahanol iawn i un Jerusalem, Pontrhydyfen.

Ond roedd pethau'n newid gartre hefyd. Ar 1 Ionawr 1969, symudodd Bryn a Ray i Aberaeron, a hynny am nifer o resymau: roedd Anti Mary Ann wedi marw, roedd Geraint wedi gadael cartre ac roedd Bryn wedi ymddeol – a'r gofid am ei iechyd yn parhau. Ar ben hyn oll, roedd mater ystafell ymolchi'r tŷ capel wedi tyfu'n bwnc llosg rhwng Bryn a Ray a diaconiaid Jerusalem, sefyllfa oedd yn anos fyth gan fod Bryn ei hun yn ddiacon, yn gorfod dadlau â'r lleill, gan gynnwys ei frodyr ei hun. Roedd y syniad o ddianc i dref glan môr fel Aberaeron, lle'r oedd unig chwaer Ray, Anti Mat, newydd ymddeol, yn un atyniadol. Ac Anti Mat ddaeth o hyd i'r cartre delfrydol, nid nepell o'i thŷ ei hun – bwthyn bach dwy ystafell wely, gyda gardd ac, yn bwysicach fyth, ystafell ymolchi.

Yn ogystal â chyfansoddi caneuon a barddoni, bu Geraint yn brysur yn cadw dyddiadur gan nodi'i deimladau mwyaf personol.

> Ro'n i'n onest iawn ynddyn nhw. Do'n nhw ddim yno i neb arall eu gweld ond fel ffordd o fynegi fy hunan.

Cafodd y barddoni hwb gan gyd-fyfyriwr yng Nglangwili, Brian Boyle, bardd oedd wedi llwyddo i gyhoeddi rhai o'i gerddi yn yr *Anglo-Welsh Review*. Roedd gwaith J.R.R. Tolkien yn dal yn ddylanwad trwm ar gerddi Geraint, gyda theitlau fel *The Elves of Tourinal* a *Salamar of Ithcottel* arnynt, a nifer o gyfeiriadau at ellyllod, dreigiau a dewiniaid. Pethau amrwd oedden nhw, heb eu caboli, gafodd eu gosod ar bapur a'u gadael, er i ambell un gael eu cynnig ar gyfer eu cyhoeddi. Derbyniodd nodyn o gymeradwyaeth yn sgil un gystadleuaeth i feirdd ifainc, ond, at ei gilydd, cael eu gwrthod wnaeth y cerddi. Nid fod hynny wedi'i ddadrithio rhyw lawer; ymgollodd mewn barddoni a barddoniaeth, yn enwedig waith Dylan Thomas a Bob Dylan oedd, ym marn Geraint ac eraill, yn creu barddoniaeth yn ei ganeuon.

Yn ystod haf 1969 aeth Geraint a Merlin i gerdded yn y mynyddoedd uwchben Llanymddyfri. Cyn iddyn nhw adael rhoddodd Ann fedaliwn St Christopher i'r ddau fel arwydd o lwc ac, wedi parcio'r fan yn Llanddewi Brefi, dechreuodd y ddau gyda'r bwriad o gerdded drwy'r dydd, treulio'r nos dan ganfas a dychwelyd drannoeth. Ac yntau wedi gwisgo *shorts* yn wyneb y tywydd braf, erbyn iddi nosi sylweddolodd Geraint fod ei goesau, nad oedden nhw wedi arfer gweld golau dydd heb sôn am wres canol haf, wedi llosgi'n ddifrifol, gymaint yn wir fel ei fod yn dechrau drysu. Yr unig feddyginiaeth wrth law oedd Nivea ac roedd hwnnw'n denu gwybed a'r rheini'n cnoi; erbyn y bore roedd y ddwy goes wedi chwyddo'n ddifrifol – 'ro'n i'n edrych fel petai *elephantiasis* arna i' – a châi Geraint drafferth mawr i gerdded. Dim ond trwy gymorth Merlin y llwyddwyd i gyrraedd yn ôl i Landdewi.

Bu'r bythefnos nesa'n gyfuniad o boen a phleser. Er na allai weithio, cafodd driniaeth feunyddiol yn ei ystafell gan nyrs ifanc ddeniadol, merch arall yr oedd Geraint yn ei chanlyn yn ddiarwybod i Ann.

Dau gyfaill newydd yn y cyfnod hwn oedd Derek Last, nyrs seiciatrig a Graham Joyce, *staff nurse* yng Nglangwili.

Ro'n ni'n driawd clòs oedd yn creu *chaos* lle bynnag y bydden ni'n mynd. Cawson ni amser wrth ein bodd.

Un diwrnod yn 1969 camodd Geraint a Graham allan i ganol bore heulog a braf ar ôl shifft nos ddeuddeg awr. Cytunon nhw y byddai mynd i'r gwely nawr yn wastraff o ddiwrnod hyfryd a bod yn rhaid iddyn nhw fanteisio ar y tywydd braf a gwneud . . . rhywbeth. Roedd *minivan* Geraint yn cael ei thrwsio a doedd gan Graham ddim car, felly, trwy rhyw gelwydd neu'i gilydd, perswadiwyd John y *chef* i fenthyg ei *minivan* e iddyn nhw.

I ffwrdd â'r ddau i gyfeiriad Aberystwyth gan godi dau hipi hirwallt ar y ffordd. Myfyrwyr Americanaidd oedd y ddau, a phan ofynnodd Geraint iddyn nhw beth oedd y prif wahaniaeth rhwng Cymru ac America, yr ateb oedd 'the warm beer, man'. Cynigiodd yr Americanwyr rannu'r ychydig ganabis oedd ganddyn nhw ac, yn ysbryd heddwch a chyfeillgarwch rhyngwladol, fedrai'r Cymry ddim gwrthod cynnig o'r fath.

Aeth y daith yn ei blaen wrth i'r fan lenwi â *vibes* da a mwg melys, ac, wedi cyrraedd Aber, doedd y môr erioed wedi edrych mor las, na'r *chips* wedi blasu cystal. Treuliwyd y diwrnod yn meithrin cysylltiadau rhyngwladol cyn i'r ddau anturiwr ddychwelyd i Glangwili ar gyfer shifft nos arall!

Cyrhaeddodd pen-blwydd Geraint yn un a hugain yn gynnar, neu o leia cyrhaeddodd ei anrheg yn gynnar. Diolch i garedigrwydd ei rieni ac Anti Mat, disodlwyd y *minivan* gan Ford Anglia tipyn iau o garej Lloyd's Motors yn Aberaeron ar gost o £160.

Ychwanegwyd recordiau at ei gasgliad yn y cyfnod hwn hefyd, recordiau gan Booker T a'r MGs a Canned Heat, a record gynta grŵp newydd David Crosby, gynt o'r Byrds, sef Crosby, Stills & Nash, grŵp â phwyslais ar harmoni, gitarau acwstig a thrydan a geiriau pwrpasol. Ond, yn gerddorol, cyfnod o wrando, astudio ac ymarfer yn hytrach na pherfformio llawer yn gyhoeddus, fu blynyddoedd Glangwili ar y cyfan.

Cafodd gyfle i berfformio'n achlysurol mewn clwb gwerin yn y Mansel Arms yng Nghaerfyrddin. Cynhelid sesiwn wythnosol mewn ystafell ar lawr cynta'r dafarn, gyda chyfle i unrhyw un ddod â'i gitâr, rhoi'i enw ar restr a chael ei alw yn ei dro i berfformio. Yn ogystal â chyflwyno'i ganeuon newydd i gynulleidfa barod, roedd yn gyfle i Geraint ddysgu gan berfformwyr eraill. Un wnaeth gryn argraff arno fe oedd Meic Stevens – un roedd ei ymroddiad a'i allu'n amlwg.

> Rwy'n ei gofio fe fel gitarydd gwych, yn defnyddio'i fysedd i gyd ac, yn wahanol i bawb arall, yn yfed peint ar ôl peint o ddim byd cryfach na dŵr.

Bu ymroddiad Meic yn sbardun pellach i Geraint yn ei freuddwyd o fod yn gerddor proffesiynol, gymaint felly nes iddo fe anfon cân newydd sbon at gwmni cyhoeddi Apple, cwmni'r Beatles:

cân ofnadwy wedi'i seilio ar y syniad bod Brenhines Lloegr yn byw mewn Prydain Weriniaethol. Tôn eitha deche ond syniad digon llipa, a dweud y lleia.

Ei henw oedd *Monarchy Lost* a, tha waeth am ddiffygion y gân, derbyniodd lythyr digon cyfeillgar yn dweud 'Dim diolch'.

Yn nhŷ Merlin un diwrnod cafodd Geraint ei gyflwyno i'w gymydog, Frank Midgely, oedd yn gitarydd mewn band o'r enw Black Cat Bones ac yn berchennog ar amp anferth Vox AC100. Gofynnodd i Geraint 'jamio' gyda'r band, heb sôn fod yna reswm cudd dros y gwahoddiad. Roedd canwr Black Cat Bones yn bygwth gadael y grŵp, ac er mwyn ei atal rhag gwneud hynny syniad Frank oedd dangos bod ganddo, yn Geraint, rywun arall oedd yn ddigon parod i lenwi'r bwlch. Gweithiodd y seicoleg ac, ar wahân i ambell jam arall, dyna oedd diwedd y cysylltiad rhwng Geraint a'r Bones.

Erbyn hyn, roedd ei hen gyfaill, Hefin Elis, yn astudio Cerddoriaeth a Chymraeg yng Ngholeg y Brifysgol yn Aberystwyth ac wedi sefydlu'r grŵp roc Cymraeg Y Datguddiad ac yn cyfeilio i'r grŵp acwstig merched Y Nhw. Theimlodd Geraint mo'r awydd i ymuno: roedd bywydau'r ddau yn dilyn dau drywydd tra gwahanol, Hefin yn aelod o Blaid Cymru ac yn weithgar gyda Chymdeithas yr Iaith Gymraeg, gan gael ei garcharu fwy nag unwaith, a Geraint yn ymddiddori yn athroniaeth y Dwyrain a mudiad yr hipis. Heddwch a chariad oedd yn bwysig iddo fe, nid gwleidyddiaeth 'gul'; ar y pryd ystyriai'i hun yn berson anwleidyddol.

Er bod y Ford Anglia *flashy* wedi codi'i statws ymysg ei ffrindiau, dechreuodd Geraint hiraethu am ryddid y moto-beic. Yn siop beiciau modur Roddy Rees yn Llanbedr Pont Steffan tynnwyd ei sylw gan feic trawiadol Honda Dream 250, lliw *salmon pink*. Trawyd ar fargen, a'r tro hwn doedd dim angen cymorth ariannol gan Anti Mat; yn syml iawn, cafodd Geraint ei feic a chafodd Roddy Rees y Ford Anglia.

Ond mae mwy i'r stori – buan y sylweddolodd Geraint fod yr Honda'n bert ac yn gyflym, ond yn fochyn i'w ddechrau yn y bore, *starter* trydan neu beidio. Roedd gan Merlin feic BSA Lightning 650 Twin oedd yn llawer gwell na'r Honda, a phan glywodd Geraint fod gan Roddy Rees Lightning arall wedi'i hanner adeiladu yn y gweithdy yn Llambed, cynigiodd ei brynu. Ateb Roddy oedd ei fod e'n llawer rhy brysur ar y pryd i orffen adeiladu'r beic, ond roedd Geraint yn benderfynol. Yn y pen draw daethpwyd i gytundeb – talodd Geraint £1 o flaendal a chael defnyddio'r gweithdy i orffen y gwaith ei hunan gydag ychydig o gymorth gan fecanic y siop a llawer iawn o help gan Merlin. O fewn pum wythnos gadawodd Geraint siop Roddy ar gefn ei Lightning newydd, gan adael yr Honda mewn swop arall.

Blwyddyn o wyliau roc mawr oedd 1970, a'r mwyaf oll oedd Gŵyl Ynys Wyth dros ŵyl banc mis Awst. Prynodd Geraint ei docynnau yng Nghaerfyrddin a theithiodd e ac Ann, y ddau erbyn hyn wedi dyweddïo, i Southampton i ddal y fferi draw i Ryde, gan ymuno â'r hanner miliwn arall oedd wedi tyrru yno ar gyfer yr ŵyl. Ar ddiwrnod crasboeth cerddon nhw o Ryde drwy'r cymylau llwch oedd yn cael eu codi gan y llu o bererinion ar eu ffordd i Freshwater. Yno, roedd pebyll wedi'u codi'n bentrefi bychain ar draws y caeau, a môr o bobol yn heidio tuag at yr ŵyl ei hun.

Gŵyl bum niwrnod oedd hi i fod, ond gyda chymaint o berfformwyr, ddaeth hi ddim i ben nes bore'r chweched dydd. Ymysg yr artistiaid roedd un o arwyr Geraint, Donovan, ynghyd â Jimi Hendrix, Free, The Who, The Doors a Sly and the Family Stone. Dyma'r tro cynta, a'r ola, i Geraint weld yr anhygoel Jimi Hendrix – bythefnos yn ddiweddarach roedd e wedi marw.

Rhwng perfformiadau, byddai fersiwn offerynnol o'r gân *Amazing Grace* gan y grŵp The Great Awakening yn cael ei chwarae dros yr uchelseinydd, a thyfodd yn anthem i'r holl ddigwyddiad: 'fersiwn *slide guitar* oedd hi a hyd yn oed pan glywa i hi heddi, mae'n codi'r blew ar 'y mhen i.' Doedd dim prinder cyffuriau mwyaf poblogaidd y cyfnod yno ond, er bod yr heddlu'n frith, fuon nhw ddim yn llawdrwm. Taw oedd piau hi – petai pawb oedd yn ysmygu canabis yno wedi cael eu 'restio, byddai Parkhurst, carchar enwog Ynys Wyth, wedi'i lenwi sawl gwaith.

Ac yntau'n blentyn ei oes, roedd yna ddigon o demtasiynau dan drwyn Geraint:

> Ro'n i'n hoffi yfed bryd hynny, arbrofi gyda chyffuriau, smygu *marijuana*, chwarae o gwmpas wedyn gyda Mandrax, tabled cysgu. Gyda hanner Mandrax a thri whisgi ro'ch chi'n 'blotto'. Ar ddiwedd y chwedegau, roedd y pethau ma'n hawdd eu cael.

Ac ar ddydd Nadolig 1970 daeth e ar draws y cyffur *hallucinogenic* LSD.

Roedd Geraint ar ddyletswydd yng Nglangwili dros gyfnod yr Ŵyl, ond teithiodd e a chyfaill ar gefn y BSA Lightning i Ddinbych-y-pysgod a chael cyfle i brynu tab o asid. Y noson honno, cyn mynd i'r dafarn, cymerodd Geraint yr LSD, ac roedd popeth yn iawn am ryw hyd, nes yn sydyn:

> roedd pawb wedi troi'n gartŵn ond mewn *3D*, gyda lliwiau llachar, trwynau crwn a gwefusau mawr, llygaid mawr. Ar ôl rhyw awr, ro'n i ishe newid y sianel. Yr ofn ges i oedd na fyddai'r peth byth yn dod i ben; doedd y profiad ei hunan ddim yn codi ofn arna i.

Roedd Geraint wedi dod â thabled cysgu 'rhag ofn' ac fe gymerodd honno'n syth. Gyda chymorth ei gyfaill, cyrhaeddodd e 'nôl i'r ward lle treuliodd e noson dawel dan lygad gwarchodol cyfaill arall oedd ar ddyletswydd nos. Erbyn y bore trannoeth roedd popeth yn iawn: 'Ro'n i'n gallu rhoi tic arall ar y rhestr, ond weles i fyth y pwynt o'i wneud e 'to.'

Ar wal ei ystafell ymolchi gosododd Geraint ddyfyniad gan Matsuo Basho, bardd Japaneaidd o'r ail ganrif ar bymtheg a meistr ar gerddi *haiku*: 'Ni cheisiaf ddilyn ôl troed y dynion a fu, ceisiaf y pethau y ceisient hwy', ymadrodd sy'n adlewyrchu agwedd Geraint ei hun tuag at fywyd:

Dyw gwirioneddau ac egwyddorion mawr bywyd ddim yn newid er bod y pethau o'u cwmpas nhw'n newid. Yn y bôn, rwy'n credu'ch bod chi'n sefydlu beth sy'n dda ac yn iawn yn gynnar mewn bywyd, ond wrth fynd yn hŷn, ry'ch chi'n gweld mwy o lwyd. Dwi ddim yn gwisgo fel yr o'n i, na siarad na swnio fel yr o'n i, ond mae 'na rai pethau y tu mewn i fi sydd byth yn newid.

Er i Geraint gwblhau'r cwrs SRN yng Nglangwili ym mis Medi 1970, a hynny o fewn dwy flynedd yn hytrach na'r tair arferol, arhosodd yn yr ysbyty am ychydig er mwyn ennill profiad gwerthfawr, gan weithio fel *staff nurse* yn wardiau Teifi a Ceri. Ond roedd yna ryw ysfa'n tyfu i deithio y tu hwnt i Gymru .

Ym mis Tachwedd roedd Geraint a Graham Joyce wedi penderfynu bodio'u ffordd i Baris. Cymerodd hi sawl lifft i'w cael nhw mor bell â Dover, lle'r oedd chwaer Graham yn byw, ac wedi noson yn ei chartre hi daliwyd y fferi i Calais gan gyrraedd yno ddiwedd y bore. A'r noson honno ro'n nhw'n dal yn Calais wedi iddynt fethu â chael unrhyw un i gynnig lifft pellach iddyn nhw.

Fedrai'r un ohonyn nhw siarad Ffrangeg ond, trwy lwc, daethon nhw ar draws teithiwr amlieithog o Wlad Pwyl gynigiodd ddod o hyd i le iddyn nhw aros dros nos. Mewn caffi cornel â blawd llif ar y llawr llwyddodd y Pwyliad, yn ei Ffrangeg gorau, i archebu lle ar eu cyfer, uwchben y caffi mewn ystafell fechan oedd yn llawn celfi wedi'u storio – a dau wely, un dwbwl ac un sengl. Yno y treuliodd y ddau noson digon anghysurus cyn diolch i'w cyfaill newydd Pwylaidd a chwilio unwaith eto am fodurwyr graslon. Newidiodd eu lwc rywfaint wrth i wraig mewn cot croen llewpart eu codi nhw, ond fedrai hi ddim ond mynd â nhw mor bell â Boulogne. Roedd yr amser yn mynd, felly doedd dim amdani ond gwario arian a dal y trên o Boulogne i Baris a chael lle mewn hostel ieuenctid, yr unig le y gallai'r ddau ei fforddio.

O leia gallen nhw fforddio bwyta mas. Ym Mharis, ac yntau wrth ei fodd yn gwylio'r gweinwyr, pob un yn ei wasgod a throwsus du a'i ffedog fawr wen, y profodd Geraint brydau egsotig fel *egg mayonnaise* a *tomato vinaigrette* am y tro cynta. Doedd dim digon o arian ar ôl i fwynhau cabare enwog y Moulin Rouge na'r Folies Bergère ond aeth Geraint a Graham, yng nghwmni Ed, Americanwr lliwgar a wisgai het gowboi ledr ac oedd hefyd yn manteisio ar lety rhad yr hostel, i'r sinema lle'r oedd y ffilm gwlt *Easy Rider* yn cael ei dangos gydag is-deitlau Ffrangeg. Ar wahân i hynny, crwydro strydoedd Paris a mynychu ambell far hynafol fu eu hanes, ond roedd hynny'n ddigon i gychwyn carwriaeth Geraint â'r ddinas.

Ond Canada, nid Ffrainc, oedd yn galw nawr, yn rhannol am fod dau ewythr iddo wedi ymfudo yno, ond hefyd am fod y syniad rhamantaidd o yrru moto-beic ar draws y Trans Canadian Highway yn beth atyniadol iawn. Cyn cymryd y cam mawr o groesi'r Iwerydd, fodd bynnag, teimlai Geraint fod angen iddo gwblhau'i addysg gyda chyrsiau seiciatreg a bydwreigiaeth. Seiciatreg oedd yn apelio fwyaf, a phenderfynodd e a Graham symud i Lundain fel cam cynta tuag at Ganada. Wedi edrych ar sawl ysbyty, dewiswyd ysbyty seiciatryddol Atkinson Morley yn Wimbledon, oedd yn fyd-enwog am ei waith arloesol, fel y mwyaf addas ar eu cyfer.

Teithiodd Geraint ar y trên i Lundain am ei gyfweliad ac, er syndod mawr iddo fe, pwy oedd yn disgwyl amdano fe ar y platfform ond ei dad. Roedd Wncwl Emlyn, brawd hynaf ei dad, oedd wedi symud i Lundain yn y dauddegau ac wedi aros yno gydol ei oes, wedi marw; gan wybod am gynlluniau ei fab, roedd Bryn wedi aros am ychydig ddyddiau ar ôl yr angladd. Cafodd Geraint lety am ychydig ddyddiau gydag ewythr arall, Wncwl Ron, yntau wedi bod yn dysgu yn Llundain ers gadael y coleg a bellach yn brifathro yn Croydon.

Aeth y cyfweliad yn arbennig o dda. Cynigiwyd lle i Geraint a Graham ac ym mis Ebrill 1971 cychwynnodd y ddau ar gyfnod newydd yn Ysbyty Atkinson Morley.

LLUNDAIN

Cynefin newydd Geraint oedd Wimbledon – nid lawntiau twt yr *All-England Lawn Tennis Club*, ond yn hytrach wyrddni naturiol Comin Wimbledon. Am ychydig, rhannai Geraint a Graham ystafell yng nghartre'r nyrsys yn Possil House, Ridgeway, rhes o dai Fictoraidd anferth ar hyd ochr ddeheuol y comin, ond o fewn ychydig fisoedd teimlai Geraint ei fod yn barod am fwy o breifatrwydd ac annibyniaeth a chafodd hyd i lety gyda Mrs Godbold yn Claremont Avenue, Motspur Park, oedd yn cynnwys ystafell wely ym mlaen y tŷ a chegin fechan. Oddi yno, dim ond taith moto-beic fer oedd ganddo fe i'r gwaith.

Roedd gan Ysbyty Atkinson Morley enw da ledled y byd am waith arloesol ymhob agwedd ar neuro-wyddoniaeth glinigol ac mewn seiciatreg. Cyfeirid at y rhan seiciatryddol, lle dechreuodd Geraint ei yrfa, fel 'cymuned therapiwtig', a chynigid triniaeth i bob math o bobol gan gynnwys sêr ffilm a phêl-droed, gwleidyddion a'r bonedd. Un o'r arbenigwyr yno oedd yr Athro Crisp, awdurdod rhyngwladol ar drin *anorexia nervosa*.

Tref digon hunangynhaliol oedd Wimbledon, gyda sinema, swyddfa bost, siopau a chanolfan drwyddedu cerbydau. Pan ddaeth cyfnod treth y moto-beic i ben, a Geraint ar ei ffordd i'w adnewyddu, sylwodd fod angen adnewyddu'r yswiriant yn ogystal. Er mwyn arbed amser ac osgoi siwrne arall, gwelodd y gallai newid un manylyn bach ar ddyddiad y dystysgrif greu dogfen digon dilys i godi disg treth newydd; gallai sortio'r yswiriant wedyn. Yn llawn hyder yn ei allu fel ffugiwr, cyflwynodd ei bapurau i'r swyddfa dreth.

Ar ôl ychydig funudau, cafodd ei alw i'r swyddfa a chael gwybod ei fod e'n lwcus iawn fod ei hen gyfeiriad yng nghartre'r nyrsys yng Nghaerfyrddin yn dal ar ei drwydded, neu fe fyddai'r rheolwr wedi galw'r heddlu. Dihangodd Geraint â rhybudd difrifol, diolch i edmygedd y rheolwr o alwedigaeth nyrsio.

Ym mis Medi, a hithau wedi cwblhau'i chwrs hyfforddi yn y Drindod, symudodd Ann i Lundain a chael swydd athrawes yn yr ysgol lle'r oedd Wncwl Ron yn brifathro. Er mwyn bod yn agos at Geraint a threfnu'u priodas ar gyfer y mis Ebrill canlynol, rhentiodd fflat gyferbyn ag Ysbyty Atkinson Morley.

Roedd un o gleifion Geraint yn ddoctor ei hun, a rhannodd nifer o'i theorïau gydag e, er enghraifft ei gred mewn rhinweddau bwyta bara cyflawn (*wholemeal*). Wrth fwyta hwn, meddai, fe fyddai pobol yn teimlo'n iachach ac yn colli pwysau oherwydd yr effaith ar yr *alimentary canal* – syniad arloesol ar y pryd, ond un sydd wedi ennill ei blwyf ymysg nifer o arbenigwyr erbyn heddiw.

Wedi cwblhau rhan gynta'i hyfforddiant seiciatreg ym mis Ionawr 1972, bu'n rhaid i Geraint symud ar gyfer yr ail ran i Ysbyty West Park yn Epsom, symudiad mwyaf tyngedfennol ei fywyd, wrth edrych yn ôl.

Bu rhan fwyaf o gleifion ward y dynion yn West Park yno ers deng mlynedd ar hugain neu fwy, ac roedd eu dillad bron mor hen â hynny hefyd, a chafodd Geraint a'i gyd-nyrs, Sarah Kelly, y syniad o drefnu trip siopa. Wedi'r cyfan, roedd gan y cleifion ddigon o arian wedi'i gynilo, felly beth am roi'r cyfle iddyn nhw wario'r arian hwnnw ar ddillad iddyn nhw'u hunain? Trefnwyd i fynd â'r ward gyfan, tua deg ar hugain o ddynion yn eu chwedegau, ar wibdaith i brynu wardrob newydd. Cafwyd nifer o dripiau llwyddiannus eraill, gan gynnwys ambell ymweliad â'r dafarn a'r parc lleol. I ambell un o'r cleifion, dyma oedd y tro cyntaf iddyn nhw adael ffiniau'r ysbyty ers blynyddoedd.

Roedd West Park yn rhan o grŵp ysbytai Epsom a Redhill oedd yn cynnwys Ysbyty Gylch Epsom, ac oddi yno mynychai hanner dwsin o nyrsys ifainc yr un cwrs â Geraint er mwyn ennill profiad seiciatrig. Cyn pen dim, roedd Geraint ar yr un ward ag un ohonyn nhw, Pauline Ryan, 19 oed, a datblygodd eu perthynas yn gyflym.

Ar ôl adnabod Pauline am dair wythnos i fis, ro'n i'n gwybod na allen i briodi Ann. Mae yna bethau mewn bywyd sydd mor amlwg nad oes angen amser i feddwl. Hyd yn oed os nad Pauline oedd 'yr un', roedd fy nheimladau i tuag ati'n ddigon i fi sylweddoli fod fy mherthynas ag Ann yn dŷ ar y tywod. Er nad o'n i'n sylweddoli ar y pryd pa mor bwysig fydde Pauline yn 'y mywyd i, roedd yn rhaid i fi ganslo'r briodas. Roedd hi'n gyfnod poenus iawn i Ann ac yn boenus iawn i fi.

Ganed Pauline yn Redhill, Surrey, ar 19 Gorffennaf 1951; Gwyddelod oedd ei rhieni – Thomas Ryan, ei thad, wedi'i eni yn 1917 yn nhref Thurles, Tipperary, a'i mam, Rose Smith, wedi'i geni dair wythnos cyn Tommie yn Kilsaran, Swydd Cavan. Fel Bryn a Ray, symudodd y ddau i Lundain i chwilio am waith gan gwrdd mewn dawns ym maracs Caterham yn 1941 a phriodi ym mis Gorffennaf y flwyddyn honno. Bu Tommie, fel Bryn, yn yr RAF yn ystod y rhyfel, a thra bod Bryn wedi dilyn galwedigaeth ar gefn beic wedi'r *de-mob*, agor siop feics oedd hanes Tommie, a Rose yn gogyddes yn Ysbyty St Lawrence, Caterham.

Yn fuan wedi cwrdd â Geraint, roedd Pauline yn sgwrsio â'i chyd-fyfyriwr, Brian Burns, pan soniodd yntau ei fod c'n chwarae'r gitâr. Awgrymodd Pauline y dylai e a Geraint ddod at ei gilydd, ac ar ôl sgwrs dros beint a sesiwn gyda'r gitârs, roedd hi'n amlwg fod yna gyd-daro personol a cherddorol rhwng y ddau. Roedd gan Brian ffrind o'r enw Ranald McDonald oedd yn chwarae'r ffliwt a'r piccolo, ac ar ôl i'r tri ymarfer am ychydig, daethpwyd i'r casgliad mai'r hyn oedd ei angen er mwyn gallu perfformio fel grŵp gwerin oedd rhywun ar y bas.

John Rawlinson, cyd-fyfyriwr ar y cwrs seiciatreg, gyflwynodd ei gyfaill Robert McFarland i'r grŵp. Roedd Robert nid yn unig yn feistr ar y bas dwbwl, ond hefyd yn gyn-aelod o Gerddorfa Ieuenctid Lloegr ac, ar ben hynny, daeth ag offerynnwr arall gydag e, Steven Dunachie, oedd yr un mor fedrus ar y fiola, y ffidil, y gitâr a'r mandolin.

Gyda'r ymarferion yn mynd o nerth i nerth, roedd y grŵp yn barod i berfformio a'r unig beth oedd ei angen nawr oedd enw. Daeth ysbrydoliaeth i'r pump o gyffur cyfarwydd, sef *Limbitrol*. Newidiwyd un llythyren i greu'r gair Limbotrol, oedd yn cynnwys yr elfennau Tolkien-aidd *limbo* a *troll*, a phetai rhywun yn gofyn deuai'r ateb parod fod *Limbitrol* yn gyffur i'ch gwneud chi'n hapus ac i ymlacio – a dyna oedd nod cerddoriaeth Limbotrol hefyd.

Roedd naws Geltaidd i'r band, gyda Geraint o Gymru, Brian o Ddyfnaint ond o dras Wyddelig, Steve o deulu Albanaidd yn Lerpwl, Bob hefyd â gwreiddiau Albanaidd a Randy'n aelod o'r clan enwog McDonald. Ei dad oedd yr Ustus McDonald oedd bellach yn Farnwr Uchel Lys Cylchdaith De Lloegr, gydag enw da am ei grafftter cyfreithiol. Ei gyngor e berswadiodd llywodraeth y cyfnod i fabwysiadu cyfnod o ddeng munud ar ôl *stop-tap* mewn tafarnau er mwyn i bobol orffen eu diodydd yn gall; am flynyddoedd wedyn, *McDonald's ten minutes* fuon nhw ar lafar yn Ne Lloegr.

Geraint, gyda chymorth rhai o'r lleill, oedd yn gyfrifol am gyfansoddi'r rhan fwyaf o ganeuon Limbotrol, gydag ychydig o ganeuon gan bobol eraill yn chwyddo'r set. Wedi bwrw prentisiaeth mewn clybiau gwerin, ehangodd eu hapêl i dafarnau, clybiau a hyd yn oed Ŵyl Caeredin, ond yr agosaf ddaethon nhw i berfformio yng Nghymru oedd un penwythnos gaeafol pan gafwyd jam mewn bwthyn ar rent ger Aberaeron.

Tyfodd yr arlwy i gynnwys ambell gân roc, er mai offerynnau acwstig oedd yn cael eu defnyddio o hyd, ac ychwanegwyd offerynnau fel organ geg, *jaw's harp* a chwisl dun. Prynodd Geraint gitâr drydan Gibson SG *maroon* a chombo H+H 100 watt er mwyn chwyddo'r sŵn, a dysgodd y lleill i ganu harmoni.

> Ro'n i'n cymryd y canu o ddifri, ishe harmoni ac yn teimlo taw fi oedd yr unig un oedd yn deall shwd i wneud, felly ro'n i'n dipyn o ffasgydd o gwmpas y piano.

Gyda'r symud i gyfeiriad roc, ychwanegwyd aelod arall, cymydog i Randy yn Croydon, sef Art Damm, Americanwr o

San Antonio, Texas. Myfyriwr pensaernïaeth wedi cymryd hoe i deithio'r byd oedd Art ac, yn bwysicaf oll, roedd e'n ddrymiwr.

Y cam nesa oedd dod o hyd i reolwr, a daeth John Walters o Norwich i ysgwyddo'r baich o drefnu gigs, gan gynnwys un nodedig yng ngharchar Norwich. Addawodd hefyd wneud ei orau glas i sicrhau cytundeb recordio.

'Nôl yn y gwaith-bob-dydd, cwblhaodd Geraint ei hyfforddiant seiciatrig yn West Park cyn cychwyn ar yrfa fel nyrs staff yn Ysbyty Cylch Epsom. Erbyn hyn roedd e a Pauline yn sôn am fyw gyda'i gilydd.

> Un diwrnod, dwedodd Pauline ei bod hi wedi dod o hyd i fflat a wedes i 'well inni briodi 'te' – a dyna ni, dyna be nelon ni.

Priodwyd y ddau ar 21 Gorffennaf 1973 yn Eglwys y Galon Gysegr yn Caterham gan y Tad Anthony Churchill.

Enwi'r gwas priodas oedd un o'r penderfyniadau anoddaf i Geraint, gyda chynifer o ffrindiau addas at y gwaith. Dewis annisgwyl efallai oedd gofyn i'w gefnder, Howard, mab Wncwl Ron, oedd wedi tyfu'n gyfaill agos iddo ers i Geraint symud i Lundain. Er i Howard gael ei eni yn Llantrisant, roedd wedi'i fagu yn Norbury ger Croydon ar ôl i'w rieni symud yno ar ddiwedd y rhyfel. Yn ddeallus, yn dynnwr coes ac yn rhugl mewn Ffrangeg, roedd Howard yn bianydd a gitarydd medrus a chanddo lais tenor gwych, ond er ymdrechu'n ddyfal, methodd Geraint â'i gael i ymuno â'r band. Howard hefyd oedd yn gyfrifol am gyflwyno Geraint i un o'i hoff grwpiau, a dylanwad cerddorol sylweddol, sef The Band a'u cyfansoddwr a gitarydd Robbie Robertson.

Wedi'r briodas, oedd hefyd yn dipyn o aduniad teuluol, ucheldir yr Alban ac ynys Skye oedd lleoliad egsotig y mis mêl, mewn Beetle Volkswagen a fedyddiwyd yn Blodwen. Cwblhawyd rhan gynta'r daith rhwng Earl's Court a Perth gyda Blodwen ar gefn trên cyn crwydro o le i le a gwersylla dros nos, gan gychwyn arfer deuluol i'r ddau.

Roedd y lle y cafodd Pauline hyd iddo fe, yn Longfellow Road, Worcester Park, yn fflat bychan ar y llawr gwaelod a gardd yn y cefn, ond fel cartre cynta i bâr oedd newydd briodi roedd e'n balas. Daeth newid byd o safbwynt gyrfa hefyd wrth i Geraint, o fewn wythnos i ddychwelyd o'u mis mêl, a chyda chefnogaeth lwyr Pauline, roi'r gorau i'w waith yn Epsom er mwyn bod yn gerddor amser-llawn.

Cynigiwyd gwaith cyson *residency* i Limbotrol yn nhafarn The Gun yn Croydon a rhoddodd gweddill y band y gorau i'w swyddi hwythau hefyd. Diolch i gefndir ariannog teulu Randy, talodd e'r swm sylweddol o £600 am system PA Hi-Watt a roddwyd yng ngofal ffrind i Brian, Vern Nelson. Lle digon ryff oedd The Gun, un o hoff dafarnau'r *rockers* lleol a fyddai'n heidio o gwmpas y PA gan wthio'u pennau i mewn i'r *bass bins* byddarol. Un noson, a Geraint yn ôl ei arfer yn canu gyda'i lygaid ar gau, dechreuodd ffrwgwd a galwyd yr heddlu. Welodd y canwr ddim byd – ar ddiwedd un gân agorodd ei lygaid a gweld mai dim ond y merched, sef Pauline a chariadon aelodau eraill y band, oedd ar ôl.

Er mwyn denu sylw cwmnïau recordiau at Limbotrol, aed ati i dorri record *demo* ar eu cost eu hunain a recordiwyd pedair o ganeuon gwreiddiol yn stiwdio Decibell yn Llundain, yn eu mysg cân o'r enw *Merthyr* a gyfansoddwyd ar ôl i Geraint ddarllen nofelau Alexander Cordell am ddiwydiant haearn yr ardal honno, gydag adlais hefyd o'r gân ddechreuodd ei ddiddordeb yn y Byrds, *Bells of Rhymney*. Câi *Merthyr* ail fywyd yn y Gymraeg ymhen rhai blynyddoedd:

The old town I was born in ain't doin' me right
The work is gone and the money's out, it's freezing every night
Think I'll have to move on before the winter snow
Move on down to Merthyr, that's the place to go
Move on down to Merthyr, there's a sunshine there I know

By the time I got to China the winter boot was in
Called in at the nearest ale-filled wayside inn
Happened to be Wellington, I heard the puddlers call
Come on down to Merthyr, there's plenty here for all
Come on down to Merthyr, there's plenty here for all

The smoke is hanging very low across the Top today
The flashing lights of Dowlais have almost died away
I hear the redcoats marching along the Brecon Road
Come on down to Merthyr, gonna lighten our load
Come on down to Merthyr, gonna lighten our load

Funny, but the old place don't look the same
Started gazing back along the road on which I came
Maybe Merthyr's telling me but I already know
Come on down to Merthyr, that's the place to go
Come on down to Merthyr, there's sunshine there I know

Travelling down to Merthyr, won't you come on down

Y grŵp eu hunain dalodd am y sesiwn recordio, oedd yn dreth bellach ar eu henillion prin – dim ond tua £15 y noson oedd eu hincwm perfformio, i'w rannu rhwng chwech, a hynny ar ôl talu cyfran i'r rheolwr. Er mwyn cael dau ben llinyn ynghyd, roedd yn rhaid i'r band arallgyfeirio a chafwyd gwaith gan asiantaeth o'r enw Gentle Ghost yn adnewyddu tai, a'u talu mewn arian parod, dim treth, dim yswiriant. Roedd Limbotrol bellach yn rhan o'r economi ddu.

Geraint gymerodd y cyfrifoldeb am y gwaith coed am fod gydag e lefel O yn y pwnc a'i fod e'n berchen ar gopi o'r *Reader's Digest DIY Manual*. Vern oedd ei gynorthwy-ydd, arbenigodd Bob a Steve mewn papuro a Randy a Brian oedd y seiri maen, gyda phawb yn bwrw ati i baentio, sandio a labro. I godi'u hysbryd, dysgodd Steve, oedd yn fyfyriwr cerddoriaeth, i'r gweddill sut i lafarganu *chants* Gregoraidd wrth eu gwaith.

> Ro'n ni nawr yn fand gyda'r nos ac yn gwmni adeiladu yn ystod y dydd. Ar y dechrau, doedd ganddon ni ddim offer ond bydden ni'n prynu teclyn fel morthwyl, neu lif, gyda'r pren a'r paent ac yn ychwanegu'r gost at y bil. Ro'n ni'n dal yn rhatach na neb arall ac fe gasglon ni lwyth o daclau.

Un prosiect cofiadwy oedd adnewyddu tŷ cyfan yn Hampton Court, gan godi waliau, gosod canllawiau pren a stripio'r paent oddi ar holl waith coed y tŷ.

Ond wrth i'r misoedd fynd heibio, sylweddolodd pawb fod mwy o amser yn mynd ar yr adeiladu nag ar y gerddoriaeth, gan negyddu'r holl syniad o droi'n gerddorion amser-llawn:

> dim ond naw mis barodd y cyfnod 'proffesiynol', amser hir pan ych chi'n *broke*. Ar y llaw arall, roedd e'n lot o hwyl ac yn addysg.

Aeth Geraint yn ôl i nyrsio, ond yn hytrach na mynd am swydd amser-llawn, ymunodd ag un o asiantaethau nyrsio Llundain, gan dderbyn tasgau trwm fel helpu pobol i'w gwelyau a'u helpu i godi yn y bore. Ychydig fisoedd wedi ymuno â'r asiantaeth, cafodd gynnig gwaith theatr yn adran niwroleg Ysbyty Atkinson Morley a derbyniodd yn llawen, er gwaetha'i ddiffyg profiad ym myd llawdriniaeth niwrolegol. Roedd wedi colli diddordeb mewn nyrsio cyffredinol ers tipyn, ac roedd hyn yn her newydd a chyffrous.

Wedi rhai misoedd o waith ysbeidiol yn y theatr, cafodd gynnig swydd barhaol yno, gan weithio gyda llawfeddygon yr ymennydd. Roedd llawer o'r gwaith yn ymwneud â llawfeddygaeth frys lle'r oedd perygl colli'r claf os nad oedd pawb ar flaenau'u traed. Roedd y rhain yn sefyllfaoedd dramatig iawn – a Geraint wrth ei fodd.

'Nôl yng Nghymru, roedd Hefin Elis bellach yn athro Cymraeg yn Llanilltud Fawr, yn byw yng Nghaerdydd ac wedi dechrau grŵp roc newydd o'r enw Edward H Dafis gyda Dewi 'Pws' Morris ar y gitâr, Charli Britton ar y drymiau a chefnder Geraint, John Griffiths, ar y bas. Gyda chymorth Huw a Margaret Ceredig, roedd wedi cael benthyciad banc sylweddol o £2,000 er mwyn prynu offer pwrpasol, a Llundain oedd y lle amlwg i fynd i'w prynu. Roedd Geraint yn barod ei gyngor am ble i fynd ac roedd e hefyd yn cynnig llety rhad.

Cyfuniad o ganu roc a gwerin oedd caneuon cynnar Edward H, gyda dylanwad y Llydawr Alan Stivell yn drwm arnyn nhw, fel nifer o grwpiau Cymraeg y cyfnod, er mai'r deyrnged i Chuck Berry, *Cân y Stiwdants*, oedd yn ennyn yr ymateb gorau o ddigon. Nifer bychan o grwpiau oedd yn troedio llwyfannau'r byd pop Cymraeg ar y pryd, a phawb yn adnabod ei gilydd, felly pan benderfynwyd fod angen canwr ychwanegol roedd hi'n gam naturiol gofyn i Cleif Harpwood o'r grŵp Ac Eraill ymuno. Roedd e a'i gyd-aelod, Tecwyn Ifan, wedi cyfansoddi'r gân *Nia Ben Aur* oedd wedi tyfu'n dipyn o anthem, ac aeth y ddau grŵp ati i ddatblygu stori'r gân ar gyfer opera roc i'w pherfformio yn Eisteddfod Genedlaethol Caerfyrddin yn 1974.

Cyn hynny, roedd gan Edward H gyngerdd i'w pherfformio yn Eisteddfod Genedlaethol yr Urdd yn y Rhyl ym mis Mai, ac er mwyn chwyddo'r sŵn gwahoddwyd Geraint i ymuno â'r grŵp ar gyfer yr achlysur. Dyma fyddai cychwyn ei gysylltiad â'r byd roc Cymraeg, byd oedd ar fin ffrwydro.

Roedd bywyd yn llawn – ar wahân i gerddoriaeth, roedd gan Geraint gartre dedwydd gyda Pauline, a'r ddau'n hapus yn eu gwaith. Roedd Pauline wedi pasio'i harholiadau SRN a bellach yn gweithio fel *ward sister* yn Ysbyty Cyffredinol Kingston. Câi'r ddau hwyl wrth ddysgu coginio gyda'i gilydd a datblygu'u crefft fel garddwyr. Prynodd Geraint gamera newydd Practica 35mm er mwyn gwella'i ffotograffiaeth ac, yn gwbwl ddamweiniol, dechreuodd ymddiddori mewn pysgota! Roedd un o'i gyd-weithwyr wedi penderfynu troi'n llysieuwr a chynigiodd ei offer pysgota i Geraint yn gyfnewid am hen *cello* a phâr newydd o *boots* cowboi oedd, wedi i Geraint eu prynu, yn rhy fach. Aeth Geraint ati'n frwdfrydig gan gychwyn yn afon Tafwys ger Hampton Court ond cyn bo hir roedd ymweliadau i weld ei rieni hefyd yn cynnwys pysgota yn afon Aeron.

Ers dyddiau cysylltiad y Beatles â'r Maharishi Mahesh Yogi, bu Geraint yn ymddiddori mewn *transcendental meditation*, a thyfodd ei ddiddordeb yng nghredoau'r Dwyrain wedi i Randy ei gyflwyno i Fwdistiaeth *zen*.

Yr athroniaeth, yn hytrach na'r ochor grefyddol, sy'n apelio ata i. Rwy'n teimlo'u bod nhw'n gwybod rhywbeth nad 'w i, ac mae hynny'n fy nenu i.

Aeth ati hefyd i'w addysgu'i hun mewn *yoga* gan ddod yn feistr ar yr arfer ac, eto diolch i raddau i ddylanwad Randy, ac yn ysbryd yr oes, trodd Geraint a Pauline yn llysieuwyr. Llaciodd pethau ar ôl sbel wrth i Geraint deimlo'i fod e'n 'mynd mor ysbrydol, ro'n i'n teimlo'n hunan yn cael 'yn sugno tua'r Nefoedd!', ond para wnaeth y pwyslais ar fwyta'n iach, gyda chyngor y doctor hwnnw am fudd bara brown yn rhan fechan o'r broses.

Anfonwyd gohebydd o'r *Surrey Daily Recorder* i weld Limbotrol yn perfformio yn yr Artesian Folk Club ym mis Mai 1974. Cafodd ei blesio gan 'a lead singer whose interpretation reminded not only me, but some others, of Country Joe McDonald (and me alone of John Martyn and Elton John). Yes, a most enjoyable evening.' Ond roedd dyddiau'r band yn dechrau dirwyn i ben – i gyd-fynd â'r symudiad tuag at roc, newidiwyd yr enw i Boots ond, er gwaethaf diddordeb cwmnïau recordiau Rocket ac Island, doedd dim sôn am gytundeb recordio. Pan adawodd Art Damm i ddychwelyd i America, daeth Charli Britton, oedd erbyn hyn yn gweithio yn Llundain fel cynllunydd graffeg, i gymryd ei le. Byddai Charli'n teithio'n ôl i Gymru ar benwythnosau i ddrymio gydag Edward H Dafis ac weithiau byddai Geraint yn ymuno ag e.

Cafodd gwaith gitâr Geraint sawl sbardun gan gyfeillion y tu allan i Limbotrol yn ystod cyfnod Llundain – yn ogystal â'i gefnder galluog, Howard, cafodd ei ddylanwadu gan Bob Linney, ddysgodd gyfrinachau'r *Travis pick* iddo fe:

> Arhoses i lan reit drwy'r nos yn whare drosodd a throsodd beth oedd e wedi dangos i fi. Ro'dd arna i ofn 'yn enaid y bydden i'n anghofio.

Dylanwad arall oedd Michael Lubin, Americanwr o New Jersey oedd yn treulio cyfnod yn Llundain fel rhan o'i hyfforddiant fel doctor. Roedd yn berchen ar gitâr acwstig Martin, peth prin ym Mhrydain ar y pryd a rhywbeth oedd yn siŵr o ddenu sylw Geraint. Dysgodd hwnnw ddull *flat pick* Americanaidd iddo fe a chychwyn perthynas arall fyddai'n para am flynyddoedd.

Ddiwedd Gorffennaf 1974, teithiodd Geraint a Pauline i Gaerdydd. Roedd Hefin, oedd bellach yn gyfarwyddwr cerdd y sioe arfaethedig *Nia Ben Aur*, wedi gwahodd Geraint i fod yn gitarydd blaen band y sioe, ynghyd â John a Charli o Edward H Dafis a Geraint Davies o'r grŵp Hergest ar gitâr rhythm:

> roedd John a Charli wedi recordio a pherfformio gyda Hergest ac roedd John wedi bod yn siarad am ei gefnder yn Llundain, ond dyma'r tro cynta i ni gwrdd. A bod yn onest, ro'n i mas o 'nyfnder yn y band, ac fe ddaliodd GG fy llaw i, fel petai.

Gyda Wynfford Elis Owen yn cyfarwyddo, bu'r cast, oedd yn cynnwys Cleif a Pws o Edward H Dafis, Heather Jones, Gruff Miles, aelodau grwpiau Ac Eraill, Sidan a Hergest a chantorion o Ysgol Gyfun Ystalyfera, yn ymarfer yng nghanolfan yr Urdd, Caerdydd, am bythefnos cyn symud i Gaerfyrddin ar gyfer yr ymarferion olaf a'r perfformiad ei hun ar nos Iau'r Eisteddfod. Roedd yna ddisgwyl mawr wedi bod – hon oedd y sioe gynta o'i bath – ond siom fu'r noson, gyda diffyg ymarfer ar y llwyfan mawr a phroblemau gyda thechnoleg newydd meicroffons radio yn creu anawsterau difrifol. Un noson yn unig oedd wedi'i threfnu, felly doedd dim modd gwneud yn iawn am y methiant – nes cael aduniad yng ngŵyl fawr y Faenol ddeng mlynedd ar hugain yn ddiweddarach – ond roedd y criw wedi cael hwyl wrth baratoi, o leiaf, a sawl cysylltiad allweddol wedi'i greu.

Ym mis Tachwedd aeth Edward H ati i recordio'u record hir gynta, *Hen Ffordd Gymreig o Fyw*, yn stiwdios TW yn Llundain gyda'r cynhyrchydd Mike Parker, oedd wedi derbyn clod am ei waith ar recordiau arloesol Endaf Emlyn, *Hiraeth* a *Salem*. Unwaith eto, gwahoddwyd Geraint i ganu a chwarae gitâr gyda'r grŵp.

Daeth 1975 â sawl gwahoddiad i Geraint gyfeilio i artistiaid eraill yng Nghymru wrth i'r sôn am ei allu ar y gitâr ledu – bu'n rhan o fand Dafydd Iwan ar y rhaglen deledu *Disc a Dawn* gyda Hefin, John a Charli, recordiwyd record hir *Nia Ben Aur* yn Llundain, ac yn yr haf daeth galwad gan Geraint Davies i gynorthwyo ar record hir Hergest, *Glanceri* – mae ei gitâr i'w chlywed ar dair cân, gan gynnwys *Niwl ar Fryniau Dyfed*. Ymddangosodd eto gydag Edward H yn Twrw Tanllyd 1975 ym Mhontrhydfendigaid, ac er bod y gerddoriaeth yn fwy amrwd na cherddoriaeth Limbotrol a Boots, roedd maint ac ymateb y gynulleidfa'n agoriad llygad.

Wedi pum mlynedd yn Llundain roedd y cysylltiadau â Chymru mor gryf ag erioed – yn ogystal â'i ymweliadau cyson ag Aberaeron i weld Bryn, Ray ac Anti Mat, ei gyfeillgarwch parhaol â Hefin ac, o ganlyniad, nifer o gerddorion Cymreig eraill, roedd Geraint wedi cadw'r berthynas agos â Merlin Ambrose ers dyddiau Glangwili ac wedi bod yn was priodas iddo fe. Yn ystod haf 1975, aeth Pauline, Geraint, Merlin a'i wraig Marina a rhieni Merlin ar wyliau i Sbaen, y daith dramor go-iawn gynta i Geraint, ac eithrio'r trip hwnnw i Baris gyda Graham. Y bwriad oedd rhannu'r gyrru mewn bws mini Ford yr oedd John, tad Merlin, wedi'i adnewyddu, ac er bod yna amheuaeth a oedd y bws yn ddigon dibynadwy ar gyfer y gwaith, llwyddwyd i gyrraedd L'Escala. Dyma hefyd, wrth gwrs, brofiad cynta Geraint o yrru ar y cyfandir, ond roedd y cyfan yn bleser a chafodd ei swyno gan Sbaen – y bwyd, y gwin a'r gwres – a'r wlad yn dal yn gymharol dawel o safbwynt twristiaeth dorfol. Profiad llai dymunol oedd dod yn agos at foddi wrth geisio tynnu *lilo*, oedd yn cario Pauline allan i'r môr, yn ôl at y lan – ac yntau'n methu nofio; fe gymerodd hi ddeng mlynedd arall iddo fe ddysgu.

Erbyn hyn roedd Boots wedi rhannu'n ddau grŵp – Geraint, Bob a Charli gyda Dave Bott ar biano trydan Wurlitzer yn cychwyn Butty a'r lleill yn ffurfio grŵp o'r enw Magus. Derbyniodd Butty *residency* yn nhafarn enwog yr Half Moon, Putney, gan berfformio cyfuniad o ganeuon gwreiddiol a chaneuon gan grwpiau Americanaidd fel The Band, a phrynodd Geraint gitâr *pedal steel* Sho Bud Maverick yn siop John King yn Kingston-upon-Thames er mwyn ychwanegu at yr arddull roc gwlad oedd wrth graidd ei sŵn. Bu newid yn y grŵp wrth i Bob adael er mwyn canolbwyntio ar ei yrfa feddygol, a daeth Pete Armitage i gymryd ei le gydag arddull arloesol ar y pryd o ddefnyddio'i fys bawd i daro'r bas yn hytrach na *pick*. Aed ati i recordio tâp *demo* arall, y tro hwn yn stiwdio Surrey Sound, ond unwaith eto methwyd â denu sylw'r cwmnïau recordiau. Y gwir amdani oedd bod ffasiwn cerddoriaeth yn newid – roedd *punk* ar y gorwel a cherddoriaeth Butty'n cael ei gadael ar ôl.

Parhau wnaeth y cynigion o Gymru. Yn 1976 chwaraeodd Geraint gitâr a gitâr ddur ar record hir Hergest *Ffrindiau Bore Oes*, a gitâr ddur i'r gân *Strydoedd Bangor* ar record unigol Delwyn Siôn, a bu'n canu a chwarae'r gitâr gydag Edward H Dafis ar y record hir *Sneb yn Becso Dam*, oedd yn cynnwys cân gyfansoddwyd ar y cyd gan Geraint a Dewi Pws, *Y Penderfyniad*.

Nid Geraint oedd unig gyfansoddwr y teulu. Yn Aberaeron roedd Bryn yn dal i gyfansoddi emynau a llwyddodd i ennill y wobr gynta yn Eisteddfod Llambed. Bu tipyn o hwyl yn Swyddfa'r Post Epsom pan aeth Geraint yno i anfon telegram – fe gymerodd hi gryn amser i gael y staff i sillafu 'Llongyfarchiadau' yn gywir.

Roedd cysylltiadau Pauline ag Iwerddon wedi parhau'n gryf – arferai dreulio pob haf yno yn blentyn – ond doedd hi ddim wedi bod yno am rai blynyddoedd pan ddaeth y newyddion fod brawd Tommie, Patrick, ei hannwyl Uncle Packie, yn sâl. Cymeriad oedd Packie, yn byw yn hen gartre'r teulu yn Thurles, Swydd Tipperary, ac yn gwneud bywoliaeth trwy gasglu hen bapurau, llyfrau a chardfwrdd ar gefn asyn a chert o gwmpas y dref a'u gwerthu ar gyfer eu hailgylchu. Aeth Pauline a Geraint draw i ymweld ag ef a chafodd Geraint ei ysbrydoli i gyfansoddi'r gân *Patrick* fel teyrnged iddo fe. Nid y gân honno oedd yr unig beth ddeilliodd o'r ymweliad, chwaith – ychydig wedi iddyn nhw ddychwelyd o Iwerddon daeth y newyddion fod Pauline yn feichiog, neu, fel y dywedodd Geraint, 'Mae'n amlwg fod y *leprechauns* wedi bod yn brysur'.

Erbyn rhyddhau *Sneb yn Becso Dam*, roedd Edward H Dafis wedi cyhoeddi'u bod nhw'n rhoi'r gorau iddi fel grŵp, a bu noson ffarwél fawr yng Nghorwen ym mis Medi 1976. Ond roedd Hefin Elis wrthi'n barod yn cynllunio'r cam nesa, *supergroup* (term poblogaidd yn y saithdegau) fyddai'n cynnwys y cantorion, yr offerynwyr a'r cyfansoddwyr gorau posibl, a gan fod Hefin bellach yn gweithio i gwmni recordiau Sain ac yn cynhyrchu mwyafrif llethol recordiau pop a roc y cyfnod, roedd e'n gwybod ble'r o'n nhw i'w cael.

Cyn-aelodau Edward H oedd y sylfaen – Hefin ei hun, Charli, John a Cleif – ynghyd â Caryl Parry Jones a Sioned Mair o'r grŵp merched Sidan, ac Endaf Emlyn. Hefyd, yn anorfod, roedd enw Geraint Griffiths ar restr Hefin:

> Roedd e wedi chwarae gydag Edward H ar lwyfan ac ar record, roedd e wedi datblygu'n gitarydd medrus, felly roedd e'n ddewis amlwg. Ro'n i hefyd yn gweld y peth fel crwsâd i ddod â Geraint 'nôl i Gymru – roedd hi'n amlwg fod ganddo fe gyfraniad mawr i'w wneud i'r byd roc Cymraeg.

Y cwestiwn nawr oedd aros yn Llundain neu beidio? Ar un llaw, roedd Geraint yn hapus yn ei swydd, roedd ganddo fe gartre diddig a band cymharol lwyddiannus, ond roedd cynnig Hefin, rhwystredigaeth methu â chael cytundeb recordio i Butty, a'r ffaith bod plentyn ar y ffordd, yn creu dadleuon cryf dros ddychwelyd i Gymru. Roedd ei ymwybyddiaeth o fod yn Gymro wedi tyfu yn Llundain, a'i ymweliadau â Chymru wedi cryfhau'i genedlaetholdeb wrth iddo fe ddilyn hanes ymgyrchoedd Cymdeithas yr Iaith, gyda'i gyfaill Hefin yn ei chanol hi.

Bu Pauline yn gefn i Geraint wrth iddo fe ystyried ei ddyfodol. I Pauline, byddai gadael Llundain yn fwy o ergyd, gan ei bod hi wedi'i magu yno a bod ei rhieni a'i theulu'n dal o'i chwmpas, ond, unwaith eto, roedd hi'n llwyr gefnogol i Geraint, a theimlai'r ddau'r ysfa i fagu eu teulu yn Gymry Cymraeg yng Nghymru. Gwahoddwyd aelodau'r band a nifer o gyfeillion eraill i ginio lle cyhoeddodd Geraint a Pauline eu bwriad, a phan ofynnodd Brian Burns pam, ateb Geraint oedd mai'r unig wir filwr mewn rhyfel ddiwylliannol yw'r artist. Wel, roedd hynny'n swnio'n dda yn 1976!

Edrychodd Geraint a Pauline am swyddi mewn sawl ysbyty – edrychai Ysbyty Gwynedd ym Mangor yn addawol, gyda ward famolaeth i Pauline ddilyn hyfforddiant fel bydwraig, theatrau i Geraint ddilyn ei yrfa yntau, mewn ardal Gymraeg ac yn agos at gartre Hefin yn Nhalybont, ond daeth cynnig gwell fyth gan Bill Beck o Ysbyty Glangwili – swydd *charge nurse* yn y theatr lawfeddygol i Geraint, swydd *staff nurse* dros dro i Pauline er ei bod hi'n feichio, a thŷ'n perthyn i'r ysbyty yn Nhre Ioan, Caerfyrddin. Ym mis Medi 1976, symudodd y ddau o Lundain gyda chymorth Charli Britton, Merlin Ambrose, Derek Last, *convoy* o geir a hen fan *transit* Edward H.

Roedd Llundain yn gyfnod ffrwythlon. Daeth cymaint o bethau da allan ohono fe sydd wedi para – cysylltiadau, cyfeillgarwch, priodas. Roedd e'n gyfnod pwysig, cyfnod allweddol. A Chanada? Ro'n i'n brysur yn gwneud pethau eraill – fe allai Canada aros!

'NÔL I GYMRU

Buan iawn y sefydlodd Geraint a Pauline eu hunain yng Nghaerfyrddin. Roedd Geraint yn hen gyfarwydd â'r dre ers ei gyfnod hyfforddi yng Nglangwili ac wedi cadw cysylltiad â nifer o ffrindiau'r cyfnod hwnnw. Doedd y lle ddim yn ddieithr i Pauline chwaith – wedi nifer o ymweliadau, roedd y ffrindiau hynny bellach yn ffrindiau iddi hi hefyd. Tŷ *semi-detached* yn eiddo i'r ysbyty oedd 50 Bro Myrddin yn Nhre Ioan, eu cartre dros-dro, y waliau'n denau fel papur ond â gwres canolog ac ystafell ymolchi, oedd yn foethusrwydd newydd – yn y fflat yn Llundain, rhennid y bathrwm gyda'r tenantiaid eraill. Chymerodd hi fawr o amser chwaith i setlo i mewn i'w swyddi, a daeth hi'n amser canolbwyntio ar y rheswm arall dros ddychwelyd i Gymru: Injaroc.

Roedd Hefin Elis wedi treulio haf 1976 yn rhoi'r darnau at ei gilydd – fe'i hunan a thri o aelodau eraill Edward H, Geraint ei ffrind hynaf, Endaf Emlyn, yr oedd newydd gyd-gynhyrchu'r record *Syrffio mewn Cariad* gydag e, a dwy o aelodau Sidan, un ohonyn nhw hefyd yn gariad i Hefin. Roedd Endaf wedi cael ei synnu gan y gwahoddiad:

> Rwy'n cofio bod mewn bwyty yn Nhrefdraeth adeg Eisteddfod Aberteifi, a gweld Hefin a Caryl, y fo mewn siwt frown hefo streipiau lliw banana, yn yfed *crème de menthe frappe*, yn syllu draw ac yn gwenu. Y funud nesa, dyma nhw'n dod draw â chynnig annisgwyl. Roedd Edward H yn dod i ben ac ro'n nhw'n ffurfio band newydd gyda mwyafrif aelodau Edward H, ac eithrio Dewi Pws, a Caryl a Sioned o Sidan, yr enigmatig Geraint Griffiths a . . . fi? Mi gymerodd hi bump eiliad i fi ddweud 'Ie'.

Wrth i'r aelodau ddod at ei gilydd am y tro cynta yng ngwesty'r Cliff, Gwbert, roedd Endaf yn dechrau amau'i hun. Er ei fod e'n hen law yn y byd adloniant – yn ddarlledwr profiadol yn y ddwy iaith, wedi recordio i gwmni Parlophone gyda'r enwog Tony Hatch yn cynhyrchu a chyhoeddi tair record hir yn y Gymraeg – doedd e erioed wedi bod mewn band. Beth oedd e'n ei wneud ynghanol y criw yma?

Roedd Geraint yn hwyr. Yn y diwedd, dyma fo'n cyrraedd mewn *minivan*, pibell yn ei geg ac yn gwisgo rhyw fath o siaced bysgota a het wlân. Allwn i weld ei fod o'n wahanol, ac na fyddai o'n yfed *crème de menthe frappe*!

Yn rhannol am mai nhw oedd â'r lleiaf o brofiad o lwyfannau'r byd roc Cymraeg, closiodd Geraint ac Endaf at ei gilydd, a chael bod ganddyn nhw dipyn yn gyffredin, yn enwedig yn gerddorol: hoffter Geraint o'i arwyr The Band yn plethu'n berffaith â diddordeb Endaf yn rhythmau a harmonïau grwpiau fel y Doobie Brothers, er enghraifft.

Ac roedd blas Americanaidd cryf ar ganeuon y grŵp, gyda Geraint, Endaf, Hefin, Caryl a Cleif yn cyfansoddi. Aed ati i ymarfer yn syth, gyda phob penwythnos yn golygu taith i rywle canolog i bawb, Aberystwyth yn amlach na pheidio. Daeth Hefin â'i gyd-weithiwr yn Sain, Bryn Jones y peiriannydd sain, i drin y system newydd PA a brynwyd, a daeth enw i'r band newydd o gyfeiriad Endaf oedd â'i wreiddiau ym Mhen Llŷn. Gydag wyth aelod i'r band, beth am ei enwi ar ôl y roc enwog o Bwllheli gyda'r rhif '8' yn rhedeg drwyddo, sef India neu Inja Roc? Roedd yn fachog, ac amwysedd yr elfen 'roc' yn apelio hefyd; felly, gydag un newid bach, Injaroc fuodd hi.

Roedd slicrwydd yr enw'n cael ei adlewyrchu ym mhroffesiynoldeb y paratoi. Ar wahân i'r PA pwrpasol, roedd sioe oleuadau i fod, crysau-T, deunydd hyrwyddo a phwyslais ar wisgo'n addas ar gyfer y llwyfan. Nid fod hyn yn rhywbeth newydd i Geraint wedi ei brofiadau yn Llundain, ond roedd yn arloesol i'r Gymru Gymraeg yn 1977.

Yn sgil poblogrwydd Edward H Dafis, roedd cam nesa'r cyn-aelodau yn siŵr o ddenu sylw, a digwyddodd hynny'n syth. Cyn perfformio, hyd yn oed, ffilmiwyd y band yn eu cyfarfod yng Ngwbert ac roedd ymdriniaeth y wasg Gymraeg hefyd yn creu disgwyliadau mawr. Meddai Hefin Wyn yn *Y Cymro*:

> Bydd y grŵp y mwyaf o'i fath o ran nifer yn hanes canu poblogaidd Cymraeg ... does dim amheuaeth mai ymddangosiad y grŵp hwn fydd digwyddiad pwysicaf y byd adloniant Cymraeg yn 1977.

Roedd colofnydd arall yn llawn chwilfrydedd:

> Y cwestiynau sydd eisoes yn cael eu gofyn yw pa fath o sŵn fydd yn cael ei greu gan Inja Roc? Ai grŵp dawns neu grŵp cyngerdd yn unig fydd o? Pryd ddaw y record gyntaf allan? Pa mor wahanol fydd y sŵn i'r hyn a fu? Am ba hyd y pery'r grŵp ac i ba raddau y gellir asio cynifer o wahanol ddoniau at ei gilydd i ffurfio un cyfanwaith effeithiol?

Nifer o gwestiynau treiddgar a phroffwydol, fel y digwyddodd pethau. Yn sicr, roedd Injaroc dan y chwyddwydr o'r cychwyn cynta.

Nid fod pawb yn croesawu'r grŵp newydd. Roedd yna garfan oedd yn flin bod Edward H wedi penderfynu rhoi'r gorau iddi ac roedd ambell grŵp arall yn grwgnach am yr holl gyhoeddusrwydd roedd Injaroc yn ei gael cyn canu nodyn, tra bod eraill oedd wedi bod wrthi erstalwm heb dderbyn yr un sylw. Doedd dim amheuaeth, er enghraifft, pwy oedd gwrthrych Geraint Jarman yng ngeiriau'r gân *Bourgeois Roc*:

> Dyma ni ar ein gwyliau
> Does neb a ŵyr ymhle
> Mae gynnon ni y crysau T
> Mae gynnon ni'r PA
> Mae pawb yn sbio ac yn gwrando

A pawb yn brolio lot
Mae mor hawdd bod yn arwr
Felly be 'di'r ots?
Bourgeois Roc

Er mai'r bwriad gwreiddiol oedd lansio'r grŵp cyn y
Nadolig, teimlai'r grŵp fod angen ymarfer pellach dros y gaeaf
er mwyn perffeithio'r sŵn. O ganlyniad, y cyfle cynta i weld y
grŵp oedd rhifyn cynta rhaglen deledu newydd y BBC,
Twndish, a ganolbwyntiodd yn gyfan gwbwl ar y grŵp, gyda
chwe chân, tair ohonyn nhw wedi eu cyfansoddi gan Geraint.
Roedd y tair, *Dal dy Afael ar Gefn Gwlad*, *Dawnsio* a *Fenyw* yn
gyfieithiadau o ganeuon Butty, ond roedd Geraint eisoes wrthi'n
cyfansoddi caneuon gwreiddiol Cymraeg, er ei fod yn nerfus o
gyflwyno'r geiriau i weddill y band, oedd yn llawer mwy
profiadol yn ieithyddol, ac ambell un â gradd yn y Gymraeg.
Dilynwyd *Twndish* gan berfformiad cynta Injaroc o flaen
cynulleidfa yn y ddawns ryng-golegol yn y Neuadd Fawr,
Aberystwyth, ar 11 Mawrth 1977, sioe gafodd groeso gan y dorf
a chanmoliaeth gan Hefin Wyn yn ei adolygiad i'r *Cymro*:

Defnyddiwyd tryloywderau, fflachiwyd enw'r grŵp tu
cefn i'r llwyfan, a syllai'r myfyrwyr ar y sioe na lusgodd
am eiliad, yn union fel y gwnâi eu rhagflaenwyr ar
grwpiau Saesneg amlwg a fu ar yr un llwyfan. Yr un oedd
y safon.

Roedd ymddangosiad Injaroc ar lwyfan yn wahanol iawn i
ddelwedd roc draddodiadol Edward H Dafis a grwpiau eraill;
gydag wyth aelod, roedd y llwyfan yn llawn – Charli a John yn
hoelio'r rhythm, yna'r tri gitarydd, Hefin, Geraint ac Endaf, yn
rhannu canol y llwyfan, a Cleif, oedd wedi arfer crwydro blaen
y llwyfan yn chwyrlïo'r meic, nawr wedi'i hoelio y tu ôl i
gongas oren ar ochor draw'r llwyfan, a Caryl a Sioned wrth ei
ymyl yn canu rhannau cefndir. Byddai Hefin neu Caryl yn
symud at y piano trydan yn achlysurol a châi Geraint gyfle i

arddangos ei ddawn ar y gitâr ddur ar faled Hefin a Caryl *Paid Edrych 'Nôl*, un o'r cyfleon prin i Cleif symud i'r blaen i ganu.

Tra bod Geraint yn ymarfer gydag Injaroc, roedd Pauline wedi bod wrthi'n chwilio am gartre parhaol iddyn nhw yng Nghaerfyrddin, ac yn swyddfa gwerthwyr tai Edward Perry yn Heol Awst daeth o hyd i dŷ bychan o'r enw Denver yn Heol y Prior, oedd yn eiddo i gymeriad oedd yn cael ei adnabod fel Dai Squirrel, un o deulu cwrwglwyr y Tomasiaid. Roedd Denver yn teimlo fel cartre hapus, felly cytunodd Pauline a Geraint i brynu'r lle am £7,500. Roedd yr enw wedi'i roi ar y tŷ gan gynberchennog yn dilyn ymweliad ag America, a phenderfynodd y perchenogion newydd nad oedd angen ei newid. Gyferbyn â'r tŷ safai Hen Dderwen Myrddin, oedd wedi gweld dyddiau gwell a bellach yn cael ei dal gan goncrit a *railings* haearn. Yn ôl hen chwedl, pe symudid y dderwen byddai tref Caerfyrddin yn dymchwel, ond bu cyngor y dref yn ddigon dewr, neu ffôl, i'w symud yn 1978 er mwyn lledu'r ffordd. Mae Caerfyrddin yno o hyd.

Cynhaliwyd ail noson Injaroc ar ddydd Ffŵl Ebrill yn Llangadog, gyda bysys yn cludo dilynwyr o bob cwr, a chafwyd noson lwyddiannus arall. Chafodd Geraint fawr o amser i fwynhau'r foment, fodd bynnag, wrth i Pauline ddechrau esgor y diwrnod canlynol, a ganed Elin Rhiannon ar 3 Ebrill, diwrnod cyn pen-blwydd Geraint. Roedd Elin yn un o hoff enwau Geraint erioed ac yn hawdd i ochr Wyddelig y teulu ei ynganu, a Rhiannon yn ddigon tebyg i enw teuluol Pauline, sef Ryan.

Tra bod Pauline ac Elin yn dal yn yr ysbyty, tynnodd Geraint griw o ffrindiau at ei gilydd i symud eu heiddo o Dre-ioan i Denver. Doedd dim amser wedi bod i brynu celfi, felly benthycwyd y pethau angenrheidiol oddi wrth Merlin Ambrose cyn casglu Pauline ac Elin a'u hebrwng i'w cartre newydd, y tŷ cynta i Geraint a Pauline fod yn berchen arno.

O fewn dyddiau, roedd Geraint ar ei ffordd i ffarm Gwernafalau yn Llandwrog ger Caernarfon, lleoliad stiwdio Sain, ble recordiwyd record hir gynta Injaroc, *Halen y Ddaear*. Trwy ryw fath o gonsensws, roedd dwsin o ganeuon wedi dod i'r brig o blith y set lwyfan, un yr un gan Hefin a Caryl ac un ar y cyd, pedair gan Geraint (*Pwy, Ledi, Fenyw* a *Capten Idole*) a phump gan Endaf – y ddau 'newyddian' felly oedd y ceffylau blaen bellach. Er bod chwaeth gerddorol y ddau'n debyg, a'u lleisiau'n asio'n dda gyda'i gilydd, roedd gan y ddau bersonoliaethau a dulliau o weithio gwahanol iawn. Yn ôl Endaf:

> Roedd Geraint yn credu mewn recordio'n gyflym a dal teimlad perfformiad, lle byddwn i'n bwyllog ac yn berffeithydd i'r graddau o fod yn llafurus yn y stiwdio. Rwy'n cofio un noson, lle'r o'n i'n dal i ffidlan gydag un o 'nghaneuon i, pan gododd Geraint, mwmian rhywbeth tebyg i '*indulgent crap*' ac off ag o i'r gwely. Roedd gyno fo bwynt – cân am gusanu yn seddi cefn y pictiwrs ym Mhwllheli oedd hi, tra bod Geraint yn sgwennu am UFOs yn glanio yn Nyfed, oedd, wrth gwrs, yn broblem gymdeithasol sylweddol ar y pryd!

Roedd Geraint mewn sefyllfa newydd gydag Injaroc – lle buodd e'n cyfansoddi caneuon Butty, a chyd-gyfansoddi deunydd Limbotrol, nawr roedd disgwyl iddo fe gyfeilio i ganeuon pobol eraill: 'Popeth yn iawn os o'n i'n credu yn y gân, mwy o broblem os nad o'n i.' Mae'n arwyddocaol na chafodd y gân dan sylw – *Swllt a Naw* – ei pherfformio ar lwyfan ac nad yw Geraint yn cyfrannu tuag at y recordiad ohoni. Gydag wyth o bobl dalentog, pob un â phersonoliaeth gref a'r ego angenrheidiol i fod yn berfformiwr, roedd anghytuno achlysurol am y gerddoriaeth yn anorfod ond yn iachus, ac roedd y cyfeillgarwch yn parhau. Ochr yn ochr â'r recordio, cafwyd nosweithiau hwyr a chymdeithasol yng ngwesty Dinas Dinlle a gorffennwyd y gwaith o fewn wythnos.

Ddiwedd Ebrill cafodd Geraint gyfle i gymryd rhan mewn noson leol wrth i Injaroc berfformio yng Ngholeg y Drindod, Caerfyrddin, a chynhaliwyd tair noson lwyddiannus eto ym mis Mai – un ohonyn nhw, yng Ngwauncaegurwen, wedi'i recordio gan y BBC. Roedd yna siom ym Mhorthmadog ym mis

71

Mehefin, fodd bynnag, wrth i'r band wynebu neuadd hanner-gwag, ond gwnaeth noson arbennig yn Rhydycar, Merthyr, iawn am hynny, gyda llythyr i'r *Cymro* gan Dafydd Saer o Gaerdydd yr wythnos ganlynol yn nodi bod 'y chwarae i gyd o safon canmoladwy, llawer yn well nag Edward H . . . o gysidro mai dyna oedd eu hwythfed sioe, mae gobaith mawr iawn i Injaroc.'

Uchafbwynt mis Gorffennaf yn y calendr roc Cymraeg oedd gŵyl Twrw Tanllyd ym mhafiliwn Pontrhydfendigaid. Roedd Geraint wedi perfformio yno gydag Edward H yn y gorffennol a chael hwyl arni. Nid felly'r tro hwn – yn wahanol i'w nosweithiau blaenorol, nid Injaroc fyddai 'prif grŵp' yr ŵyl, yn cloi'r noson, ond yn hytrach y grŵp roc trwm Shwn, ffaith oedd yn achosi mwy o bryder i ambell aelod o'r grŵp nag i eraill. Beth oedd yn fwy diflas o lawer oedd y bloeddio anghroesawgar gan garfan o'r gynulleidfa am 'Shwn', neu 'Edward H' a 'Dewi Pws' wrth i Injaroc fynd drwy'u pethau. Roedd adolygiad Alun Lenny o'r ŵyl yn adlewyrchiad teg ac yn codi amheuon ynglŷn â'r dyfodol:

Ac yna Inja Roc. Dyma'r grŵp oedd â'r frwydr galetaf i ennill ei le. Roedd y dalent i gyd yma. Ond siom fu'r ymateb iddynt hwy. A yw Cymru'n barod i gerddoriaeth Inja Roc? Mae cysgod Edward H yn tywyllu doniau disglair Inja Roc, ac rwy'n ofni bod brwydrau anodd o'u blaenau cyn cael cydnabyddiaeth – os o gwbl.

Ym mis Gorffennaf hefyd y cyhoeddwyd y record hir *Halen y Ddaear*, gyda chynllun y clawr gan Charli yn arddull yr artist Roy Lichtenstein yn drawiadol o liwgar ond yn brin o wybodaeth – rhestri o deitlau'r caneuon ac enwau'r aelodau a dim mwy; doedd dim taflen chwaith y tu mewn i'r clawr gyda geiriau neu lun o'r band hyd yn oed. Adeg y cyhoeddi, cafwyd dyfyniad diddorol gan Hefin Elis: 'Roedd yn arwyddocaol pan euthum â'r tâp i Lundain i'w dorri i un o'r technegwyr holi ai'r un grŵp a ganai'r holl ganeuon', dyfyniad oedd yn cadarnhau'r feirniadaeth am ddiffyg cyfeiriad Injaroc a leisiwyd dros y misoedd blaenorol. Cymysg oedd yr ymateb i'r record, mewn adolygiadau ac o safbwynt gwerthiant, gyda'r feirniadaeth fwyaf cyffredin yn adleisio sylw Hefin.

I hybu *Halen y Ddaear*, roedd pedair noson wedi'u trefnu yn Eisteddfod Genedlaethol Wrecsam ddechrau Awst. Roedd y gynta yn y Pafiliwn, neuadd digon anaddas i ganu roc, ond a oedd yn cynnig cyfle i berfformio ar lwyfan mawr o flaen cynulleidfa o ddwy fil. Gwaetha'r modd, roedd cyfran o'r gynulleidfa honno yno i ailadrodd heclo Twrw Tanllyd. Yn ôl colofnydd *Y Cymro*, Hefin Wyn:

> deisyfu am Edward H Dafis, Dewi Pws, Brân a Shwn –
> unrhyw grŵp ar wahân i Injaroc – a wnâi lleiafrif swnllyd
> . . . ymddengys fod y mwyafrif yn ategu teimladau'r
> ychydig. Yn sicr boddi'r elfen swnllyd a wnaed pe
> gwrandewid ar grŵp fel EHD o dan yr un amgylchiadau.

Roedd y llanw'n troi yn erbyn Injaroc, gyda'r colofnydd ei hun yn feirniadol ohonyn nhw:

> Loes yw gorfod cyrraedd y casgliad er rhagoriaeth
> cerddoriaeth Injaroc – ni fu ei gystal o'r blaen – mai y
> grŵp ei hun sydd yn gyfrifol am ei ddymchweliad.
> Annoeth ar ran Hefin Elis oedd codi dau fys ar y
> gynulleidfa.

Noson fwya'r wythnos oedd CRANI, neu Cae Ras Ar Nos Iau, cyngerdd awyr-agored ar faes clwb pêl-droed Wrecsam gyda Crysbas, Seindorf, Madog, Josgin, Hergest, Shwn ac, ar y brig y tro hwn, Injaroc. Roedd hon yn noson bwysig a phawb yn benderfynol o ennill y gynulleidfa'n ôl gyda pherfformiad cofiadwy. Ond roedd ffawd yn eu herbyn – noson lawog oedd 4 Awst, a thorrwyd ar draws perfformiad mwy nag un grŵp oherwydd y perygl o wlychu'r offer trydanol. Y grŵp olaf i berfformio, cyn gorfod rhoi terfyn ar bethau, oedd Hergest. Yn ôl Geraint Davies o'r grŵp:

fe gawson ni dderbyniad gwych a chael ymateb ffafriol iawn am ddyddiau wedyn. Petai Injaroc wedi perfformio'r noson honno, rwy'n weddol saff taw nhw fydde wedi cael y sylw, nid ni, ac, o ganlyniad, fe allai popeth ddigwyddodd wedyn fod wedi bod yn wahanol.

Ond chafodd Injaroc mo'r cyfle hollbwysig hwnnw.

Roedd y noson ganlynol mewn stafell tipyn llai, Stiwdio Theatr Clwyd, yr Wyddgrug, ac yn gartrefol ddi-hecl; felly hefyd y nos Sadwrn yn Odeon Wrecsam. Ond roedd digalondid wedi gafael yn aelodau'r band, rhai'n fwy na'i gilydd. Ni fu unrhyw drafodaeth na chyfarfod rhwng yr aelodau i gyd, ond cyhoeddodd Hefin ar ddiwedd yr wythnos ei fod e wedi penderfynu dirwyn y grŵp i ben. Erbyn yr wythnos ganlynol roedd y newyddion yn gyhoeddus – dan y pennawd 'Injaroc yn chwalu', dyfynnwyd Hefin eto: 'Doedd pethau ddim wedi gweithio allan fel roedden ni wedi gobeithio, a'r peth gorau oedd i ni orffen rŵan.' Dechreuodd sibrydion fod Edward H Dafis ar ei ffordd yn ôl.

Bu post-mortem yn y wasg Gymraeg, gyda Hefin Wyn yn parhau'n feirniadol o'r grŵp ei hun: 'Nid oherwydd diffygion cerddorol y methodd Injaroc ond diffyg personoliaeth . . . roedd Injaroc yn ddoeth i chwalu.' Roedd eraill yn fwy beirniadol o'r ffactorau allanol a arweiniodd at ddiwedd y grŵp. Ym marn Dilwyn Humphreys o Aberystwyth, 'Os methiant fu gyrfa Injaroc, adlewyrchiad fu hynny o fethiant cynulleidfa ieuenctid Cymraeg. Ni chafodd Injaroc gyfle na pharch'; yn ôl Malcolm Llywelyn, un o drefnwyr noson Rhydycar, 'Mae'n amlwg nad yw Cymry ifainc yn barod neu'n fodlon i dderbyn cerddoriaeth o safon uchel yn Gymraeg.' Ond y colofnydd Alun Lenny oedd y mwyaf cignoeth ei feirniadaeth:

Ni chafodd Injaroc gyfle. Fe'i llofruddiwyd gan y ffyliaid byddar a'r iobs meddw a wrthododd wrando. Nid oedd y wasg ychwaith yn ddi-euog. Chwarae i'r galeri wnaeth ein prif ohebwyr. Beirniadu grŵp ar ôl iddo fod mewn bodolaeth am tua pedwar mis. Anhygoel.

I aelodau'r band hefyd, o edrych 'nôl, yr un oedd y rhesymau dros roi'r gorau iddi, yn y bôn. Yn ôl John Griffiths:

Y broblem oedd nid y cerddorion ond y cyfeiriad cerddorol, gyda phump cyfansoddwr dawnus yn tynnu i gyfeiriadau gwahanol heb arweinydd cydnabyddedig. Hefyd ein methiant ni i argyhoeddi elfen o'r cyfryngau, ddylanwadodd wedyn ar y gynulleidfa. Penderfynwyd gorffen heb drafodaeth a rwy'n bersonol yn flin na wnaethon ni ymdrechu i gario 'mlaen. Chyrhaeddodd Injaroc mo'i botensial, ond fe helpodd i ddatblygu gallu cerddorol yr aelodau i gyd.

Dyna farn Hefin Elis hefyd:

Gormod o aelodau i gael un nod clir, gormod o egos, rhy anodd ei reoli. Roedd cael cymaint o gyn-aelodau Edward H yn rhwystr gan fod y dilynwyr yn gweld y peth fel brad.

I Endaf Emlyn:

er gwaetha'r holl densiwn creadigol, roedd Injaroc i mi'n brofiad gwych, yn hwyl ac yn gyffrous cael chwarae'n fyw gyda phobl ro'n i'n eu parchu. Ond gormod o bobol, gormod o *styles*. Ymhen amser fe allen ni fod wedi dod o hyd i un llais, ond doedd cefnogwyr Edward H ddim am faddau i ni am feiddio ceisio dilyn y Quo Cymraeg.

O'r aelodau i gyd, hwyrach mai Geraint brofodd y siom fwyaf:

Roedd 'na ychydig o deimladau drwg, ond barodd rheini ddim. Ro'n i'n arfer cwyno taw Injaroc oedd y rheswm pam ddes i 'nôl o Lundain a bod hynny wedi'i gymryd oddi wrtha i. Y gwir amdani yw y bydden i wedi dod 'nôl beth bynnag yn y pen draw. Ro'n i braidd yn grac ar y pryd ond weithiodd popeth mas yn iawn, diolch byth.

Petai Injaroc wedi llwyddo i ganu yn y Cae Ras yn Wrecsam, fe fydden nhw wedi perfformio 14 o weithiau. Fel yr oedd hi, 13 oedd y cyfanswm – rhif anlwcus i rai, medden nhw.

ELIFFANT I

Efallai fod Injaroc wedi dod i ben braidd yn sydyn, ond i'r aelodau unigol roedd sawl blwyddyn o ganu o'u blaenau. Ailffurfiodd Edward H Dafis yn ôl y disgwyl ac aeth Sioned a Caryl ymlaen i ddilyn gyrfaoedd llwyddiannus fel actorion, cyflwynwyr a chantorion, Caryl yn y lle cynta gyda Bando. I Geraint ac Endaf, y syniad cynta, a digon naturiol, oedd ffurfio grŵp newydd ar y cyd, gan rwydo John Gwyn o'r grŵp Brân, a bu un wibdaith gofiadwy i Abertawe i gwrdd â dau o hoelion wyth y *scene* yno, y drymiwr Terry Williams (cyn ei gyfnod gyda Dire Straits) a Clive John o'r enwog Man, i weld a oedd diddordeb ganddyn nhw mewn ymuno â'r cynllun. Aethon nhw mor bell â thrafod enw hyd yn oed – Eliffant. Bu Jackie, gwraig Endaf, wrthi'n gwau tegan meddal ar siâp eliffant fel anrheg i Elin, tegan sydd ganddi o hyd, ond does neb yn cofio erbyn hyn ai'r tegan ynteu'r enw ar gyfer y band ddaeth gynta.

Ond cyn i bethau ddatblygu'n llawn, cafodd Geraint ymweliad – a chynnig – annisgwyl gan John Davies, gitarydd y grŵp Chwys (nid ei hen ffrind o Bort Talbot, gitarydd The Undecided). Roedd Chwys o ardal Hwlffordd – Colin Owen ar y drymiau, Clive Richards ar y bas, Sulwyn Rees y prif ganwr a John – wedi creu tipyn o argraff yn ystod eu bywyd byr fel grŵp, diolch i'w roc trwm a chymeriad unigryw Sulwyn, oedd yn hoff o ddefnyddio chwip ar lwyfan. Yn anffodus, roedd Sulwyn wedi dilyn ei drywydd ei hun a gadael bwlch mawr ar ei ôl, ac roedd y lleill yn chwilio am ganwr i gymryd ei le.

Cafodd Geraint air ag Endaf, oedd yn gefnogol iawn i'r syniad:

Ro'n i yng Nghaerdydd ac roedd Caerfyrddin bellter i ffwrdd ac roedd hyn yn gyfle gwell i Geraint ddilyn ei arddull ei hun heb orfod cyfaddawdu.

Fe fyddai'r ddau'n cydweithio eto mewn nifer o ffyrdd, ond am y tro trodd Geraint ei olygon tua'r gorllewin ac aeth Endaf a John Gwyn ati i ffurfio Jip gyda chriw o gerddorion o Gaerdydd. Cyn gwahanu, ymddangosodd Geraint ac Endaf ar y rhaglen deledu *Gair ar Gerdd* i HTV, gyda Dic Jones yn cyflwyno. Thema'r rhaglen ar 15 Tachwedd 1977 oedd 'Cymeriadau' a pherfformiodd Geraint ac Endaf gân yr un – dewis Geraint oedd y deyrnged i Uncle Packie, *Patrick*.

Yn ystod misoedd cynnar 1978 bu Geraint a Chwys yn ymarfer ac arbrofi â dulliau cerddorol amrywiol, gan symud yn raddol o roc trwm Chwys i arddull mwy melodaidd Geraint. Doedd neb arall yn y band yn cyfansoddi ac fe ddaeth hi'n amlwg yn gynnar mai caneuon Geraint fyddai sylfaen y grŵp newydd. Un elfen oedd ar goll, sef allweddellau, fyddai'n ychwanegu dimensiwn arall, ac roedd John yn nabod yr union foi ar gyfer y gwaith.

Roedd Euros Lewis yn ddarlithydd drama yn Theatr Felinfach, Dyffryn Aeron, ac ynghanol bwrlwm anghyffredin y theatr honno, oedd yn ganolbwynt gweithgaredd diwylliannol i'r ardal. Er bod Euros wedi canu'r piano a'r organ ers yn blentyn, doedd e erioed wedi bod mewn band sefydlog, na chwaith yn berchen ar offeryn addas. Roedd e wedi perfformio, gydag offerynwyr eraill Chwys, fel cyfeilydd i Meic Stevens yn Twrw Tanllyd 1977, a hynny trwy fenthyg piano trydan oedd yn eiddo i John. Ar yr un llwyfan y diwrnod hwnnw, wrth gwrs, roedd Injaroc, ac roedd Euros eisoes wedi sylwi ar allu Geraint fel perfformiwr:

> Y tro cynta i fi weld Geraint oedd pan berfformiodd e gydag Injaroc yn Theatr Felinfach ym mis Mai 1977. *Rock star* o'i ben i'w sawdl.

Derbyniodd Euros gynnig i ymuno â'r band, prynodd biano trydan Fender Rhodes gan John ac roedd sŵn y grŵp yn gyflawn. Yr unig beth oedd ei angen nawr oedd enw, ac roedd un sbâr ar gael, sef Eliffant:

> Daeth yr enw mas o sgwrs rhwng Endaf a fi, os gofia i'n iawn. Ro'n i wedi clywed stori am long syrcas yn taro'r creigiau ar hyd arfordir Sir Gâr tua Llansteffan. Daethon nhw ag eliffant – byw neu farw dwi ddim yn siŵr – i'w arddangos yng Nghaerfyrddin. Cafodd e 'i gladdu yn y diwedd yn lle mae Ysgol Bro Myrddin nawr. Roedd 'na elfen o ddweud 'Mae'r Eliffant yn fyw ac yn iach yng Nghaerfyrddin unwaith 'to.' Hefyd, ro'n i ishe enw 'trwm' oedd yn gweithio yn y Gymraeg a'r Saesneg. Er ein bod ni'n canu yn y Gymraeg, do'n i ddim ishe cau pobol ddi-Gymraeg mas.

Ochr yn ochr â datblygu'r grŵp newydd, roedd galwadau'n dal i ddod am waith sesiwn. Wrth weithio fel cerddor sesiwn yn HTV ym Mhontcanna y cyfarfu Geraint â Myfyr Isaac am y tro cynta, wrth i'r ddau gyfeilio i Tony Jones, hanner y ddeuawd Tony ac Aloma: Myf ar y gitâr flaen a Geraint ar y gitâr ddur. Brodor o Lanafan ger Aberystwyth yw Myfyr, ond roedd wedi bod yn teithio'r byd gyda'r grŵp roc Eingl-Gymreig Budgie a newydd ddychwelyd i Gymru. Doedd dim llawer o amser i sgwrsio y diwrnod hwnnw, ond roedd perthynas wedi'i sefydlu a fyddai'n allweddol yng ngyrfa Geraint yn y dyfodol.

Fel yn achos Injaroc, rhaglen deledu *Twndish* roddodd y cyfle cynta i weld Eliffant, a hynny ar 2 Ebrill 1978. Dilynodd y perfformiad cyhoeddus cynta ar 19 Mai yn Neuadd Goffa Pontyberem, cyn teithio i Dal-y-bont, Ceredigion, y noson ganlynol. Unwaith eto, roedd Hefin Wyn ym Mhontyberem i baratoi adolygiad ar ran *Y Cymro*:

> Mae Eliffant yn grŵp roc trwm cerddorol a fedr roi neuaddau ar dân gyda'i chwarae cywrain. Mae gan Geraint Griffiths y gallu prin hwnnw sy'n mynnu hoelio sylw, llais caled, miniog a dawn i greu dilynwyr. Ac mae

gan Cleif, Euros, Colin a John y ddawn i wneud cyfiawnder â gallu Geraint.

Yn ogystal â thoreth o ganeuon wedi'u cyfansoddi'n arbennig ar gyfer Eliffant, atgyfodwyd rhai o ganeuon Injaroc, gan ddatblygu thema *Capten Idole* yn y caneuon newydd *Serena* (gyfansoddwyd gydag Endaf), *W Capten* a *Teulu Mawr y Byd*. Dywedodd Geraint wrth *Y Cymro*:

> Mae gen i ddiddordeb yn y gofod erioed. Clywed am nyrs yn Glangwili yn gweld rhywbeth od ym mhentref Idole sydd tu ôl i *Capten Idole*. Dwi yn credu bod yna bobol eraill i'w cael ar wahân i ni.

Daeth y gwahoddiadau i berfformio'n gyson – wythnos yn ddiweddarach, roedd Eliffant ar lwyfan yn Llanelwedd lle'r oedd Eisteddfod Genedlaethol yr Urdd yn cael ei chynnal y flwyddyn honno, ond doedd dim digon o waith i gyfiawnhau ystyried troi'n amser-llawn, er mai dyna oedd breuddwyd Geraint o hyd. Roedd gan bawb ei waith-bob-dydd, a doedd neb am droi cefn ar y sicrwydd hwnnw. Ond os nad oedd modd gwneud bywoliaeth o'r canu, roedd agwedd y band tuag at y gerddoriaeth a'r perfformio'n hollol broffesiynol. Buddsoddwyd mewn offerynnau ac offer PA dyfodd hyd at 2,000 watt o sain:

> Weldiodd Colin *rack* dur at ei gilydd er mwyn dal yr holl *amps* – oedd yn pwyso tunnell – ac, fel Wal China, allech chi weld y peth o'r gofod, mwy na thebyg!

Cyflogwyd tîm o beirianwyr – Bernard Davies, neu 'Byn', Tudor Elis, Jeremy Gleave ac Emyr Bowen – i gynorthwyo ar yr ochor dechnegol gan adael i'r cerddorion ganolbwyntio ar eu priod waith.

Roedd ymarfer cyson yn rhan hanfodol o'r agwedd broffesiynol hefyd, gyda phwyslais unwaith eto ar ganu harmoni. Unwaith yr wythnos byddai cyfarfod o'r grŵp yn Denver yn benodol er mwyn cynnal ymarfer lleisiol. Ar gyfer ymarferion band llawn, Theatr Felinfach oedd y ganolfan amlwg ar y cychwyn, diolch i gysylltiad Euros, ond ar ôl ychydig daeth yr angen am le mwy canolog i bawb, a dyma gychwyn cysylltiad y grŵp ag ardal Crymych, a'r Crymych Arms yn arbennig. Byddai pawb yn cyfarfod yn y dafarn am beint neu ddau o Guinness cyn symud draw i ymarfer yn y neuadd yn Ffynnongroes neu'r ysgol ym Mrynberian. Weithiau byddai apêl y Guinness yn profi'n drech, a'r offer yn aros yn y ceir.

Roedd elfen gymdeithasol gref i Eliffant, a Geraint wrth ei fodd yn darganfod Cymreictod arbennig bechgyn Sir Gâr, oedd yn gartrefol iawn ac yn hwb i'w hyder ieithyddol e wrth gyfansoddi caneuon. Cafodd Injaroc eu beirniadu yn y gorffennol am eu defnydd o Saesneg oddi ar lwyfan – rhan o'r chwarae rôl oedd yn *cool* i fand roc – ond doedd dim o hynny'n perthyn i Eliffant; roedd yna deimlad cwbl Gymraeg a Chymreig, hyd yn oed o gofio bod Colin yn ddi-Gymraeg. Yn yr un modd, roedd awyrgylch Gymraeg Glangwili hefyd wedi swyno Geraint – ar y pryd, roedd dros 80% o'r cleifion a'r staff yn siarad Cymraeg; yn y theatrau, roedd y ffigwr mor uchel â 90% ymhlith y staff. Am y tro cynta ers ei blentyndod, roedd Geraint yn byw ei fywyd trwy gyfrwng y Gymraeg, ac am y tro cynta hefyd, Cymraeg oedd iaith y stryd iddo fe.

Un o nosweithiau gorau 1978 i Eliffant oedd honno ym mhafiliwn Gerddi Sophia, Caerdydd, adeg yr Eisteddfod Genedlaethol yn y brifddinas, sef Saffari Soffia. Trefnwyd y noson gan Saffari, cwmni PA oedd wedi'i sefydlu gan Endaf Emlyn, John Gwyn a Myfyr Isaac fel atodiad i'w grŵp newydd, Jip. Er gwaethaf adlais naturiol anferth y neuadd fawr, roedd Geraint yn hapus iawn â'r perfformiad: 'Dyna'r sain gorau inni gael fel grŵp hyd hynny ac roedd y system goleuadau arbennig o effeithiol.' I Myfyr, 'Geraint a'i fand oedd Eliffant. Roedd e'n sefyll allan, yn dangos *star quality* a llais roc arbennig.'

Daeth yr hydref â mwy o ymddangosiadau ar radio a theledu i HTV a'r BBC a rhestr gynyddol o gigs byw. Yn fuan iawn, sefydlwyd patrwm o benwythnosau prysur gydag ymweliadau cyson â chanolfannau ledled Cymru fel Blaendyffryn ger Llandysul, Plas Coch yn Sir Fôn, Neuadd Llangadog, Clwb y Dixieland yn y Rhyl a Chlwb Tanybont yng Nghaernarfon, ac roedd hi'n ddigon cyffredin cynnal nosweithiau ynghanol yr wythnos hefyd, ond iddyn nhw fod yn gymharol leol. Roedd yn gyfnod cyffrous ac ambell noson yn gallu ennyn ymateb digon gwyllt, ac ambell leoliad yn y gorllewin yn gallu bod yn beryg bywyd ar ddiwedd noson. Fe ddaeth hi'n arfer cadw darn o ddolen bren hen *stretcher* o Langwili fel pastwn yn un o'r *amps* – rhag ofn!

Yn sgil y cyffro byw, daeth cynnig i recordio. Roedd Saffari'n ymestyn eu gweithgareddau trwy sefydlu cwmni recordiau ac Eliffant fyddai'r artistiaid cynta ar y label newydd. Recordiwyd dwy gân yn Stiwdio Stacey Road yng Nghaerdydd – *'Nôl ar y Stryd* a *W Capten* – gyda Des Bennett yn peiriannu a Myfyr Isaac a Richard Mainwaring, fu'n gweithio yn nes ymlaen gydag artistiaid fel Van Morrison, yn cynhyrchu. Ond methodd unrhyw gynnyrch gan gwmni recordiau Saffari weld golau dydd. Yn ôl *Y Cymro*:

> mae'r bwriad i ryddhau record fer gan Eliffant ar label newydd Saffari wedi mynd i'r gwellt. Roedd y problemau ariannol a threfniannol yn ormod i'w goresgyn er bod y tapiau wedi'u patatoi.

Ond roedd newyddion gwell i ddod wrth i gwmni Sain ddod i'r adwy gyda chynnig gwell – cyfle i recordio record hir yn y flwyddyn newydd. Wrth i 1978 dynnu tua'i therfyn, roedd modd edrych yn ôl gyda gwên – roedd Eliffant wedi ennill eu plwyf fel grŵp tyn, cyffrous ac wedi meithrin corff sylweddol o ddilynwyr. Ar 9 Rhagfyr, cynhaliwyd parti Nadolig cynta'r grŵp yng ngwesty'r Harbourmaster yn Aberaeron i ddathlu, gydag un llygad ar lwyddiant y flwyddyn a fu a'r llall ar bosibiliadau'r dyfodol.

Dechreuodd 1979 yr un mor brysur â'r flwyddyn cynt, gydag

ymddangosiad arall ar raglen *Twndish* a chyfres o nosweithiau byw. Yna, ar 12 Chwefror, cychwynnwyd ar y daith i stiwdio Sain yng Ngwernafalau, taith nad oedd heb ei phroblemau oherwydd storom eira. Bu'n rhaid cropian ar hyd arfordir y gorllewin trwy'r Borth, y Bermo a Harlech er mwyn osgoi lluwchfeydd y canolbarth, ond doedd dim yn mynd i rwystro'r band rhag cwblhau'r siwrne. Cyrhaeddwyd Llandwrog erbyn hanner nos gan gychwyn recordio'r bore canlynol.

Hefin Elis oedd i gynhyrchu'r record, gwaith cymharol rwydd gan fod y caneuon wedi'u sefydlu o ran trefniannau o ganlyniad i'r nifer helaeth o berfformiadau byw. Y nod oedd cadw'r recordiad yn syml heb effeithiau diangen, er mwyn gallu ail-greu'r record ar lwyfan. Er nad oedd hi'n fwriad creu record â thema'r gofod yn rhedeg drwyddi, roedd caneuon yr ail ochr i gyd yn dilyn y trywydd a osodwyd gan *Capten Idole – Serena*, *W Capten*, *Ble Rwyt Ti* a *Teulu Mawr y Byd*. Ar Ochr 1 roedd y caneuon mwy uniongyrchol, *'Nôl ar y Stryd*, *Breuddwyd*, *Lisa Lân*, *'Nôl i Gairo* a *Seren i Seren*, a'r cwbl yn dilyn arddull roc melodaidd.

Roedd y clawr hefyd yn tanlinellu'r cysylltiad gofodol, gyda darlun o astronot yn hofran ynghanol y sêr, ac i ysgafnhau rhywfaint ar y ddelwedd gosodwyd sticer ar bob clawr o eliffant ar ffurf cartŵn. Ond daeth y teitl o lawr gwlad – *M.O.M.*, sef 'Mas o 'ma', ymadrodd llafar yn Nyfed gafodd ei fabwysiadu gan y grŵp fel arwyddair diwedd-noson: 'Na ni 'te, M.O.M. – gloi!'

Cafodd *M.O.M.* dderbyniad gwresog gan y cyhoedd a'r wasg fel ei gilydd. I Hefin Wyn a'r *Cymro*, roedd hi'n 'record go arbennig . . . a cherddoriaeth sy'n gyfraniad gyda'r mwyaf cyffrous i'r byd recordiau Cymraeg ers rhyddhau unig record Injaroc,' ac i Denver Morgan yn y cylchgrawn roc newydd, *Sgrech*, 'mae *M.O.M.* mas o'r byd 'ma – dawnsiwch i ochr un, gwrandewch ar ochr dau.' Cyhoeddwyd record sengl hefyd gyda *Seren i Seren* ar un ochr a *Lisa Lân* ar y llall, yn bennaf ar gyfer eu dosbarthu i *jukeboxes* tafarnau, ac am weddill y flwyddyn parhau wnaeth y galwadau am nosweithiau ledled

Cymru. Roedd hi'n gyfnod toreithiog o safbwynt grwpiau roc Cymraeg a bu Eliffant yn rhannu llwyfan gyda'r rhan fwyaf ohonyn nhw yn eu tro – y Trwynau Coch, Ail Symudiad, Rocyn, Chwarter i Un, Doctor, Angylion Stanli, Rhiannon Tomos a'r Band, Ficar a llawer mwy, ac yn ddieithriad bron, bois Dyfed fyddai dewis y trefnwyr i orffen y noson.

Yn ogystal â'r berthynas bersonol glòs dyfodd rhwng aelodau Eliffant yn sgil ymarfer, perfformio a theithio mewn fan bob awr o'r dydd a'r nos, roedd teimlad o gymuned rhwng grwpiau a'i gilydd hefyd, er gwaetha'r ffaith eu bod nhw'n cystadlu â'i gilydd am waith a sylw. Weithiau, fodd bynnag, byddai gwrthdaro'n digwydd; un noson cafodd Eliffant y profiad annifyr o gael eu heclo gan grwtyn ifanc, meddw iawn a safodd o flaen y llwyfan gydol eu perfformiad gan weiddi'n ddilornus. Mae hynny'n digwydd o bryd i'w gilydd i unrhyw berfformiwr a rhaid derbyn y peth. Ond mae mwy i'r stori. Rai misoedd yn ddiweddarach, roedd Eliffant yn rhannu llwyfan â grŵp ifanc, gaiff fod yn anhysbys am y tro, ac, fel arfer, roedd yna gyfarch ei gilydd y tu ôl i'r llwyfan – nes i rywun dynnu sylw John Davies at y ffaith mai un o aelodau'r band oedd y meddwyn fuodd yn eu heclo nhw yn y gig flaenorol. O fewn dim roedd John wedi codi *speaker* dros ei ben, yn barod i'w daflu at ben yr euog. Cymerodd hi sawl person i'w argyhoeddi nad oedd hynny o anghenraid yn syniad da!

Roedd bywyd yn brysur gartre yng Nghaerfyrddin hefyd. Roedd Geraint yn dal i weithio fel *charge nurse* theatr yng Nglangwili, yn treulio oriau'n gwneud gwelliannau i'r tŷ a'r ardd ac yn mwynhau'i deulu ifanc, oedd ar fin tyfu. Gydag Elin prin yn ddwy, roedd Pauline yn feichiog eto. Wedi diwrnod gyda gweddill criw Eliffant ym mhriodas John Davies, dechreuodd yr esgor a ganed ail ferch i Pauline a Geraint ar 20 Awst 1979, a'i henwi'n Lisa Mair, yn rhannol ar ôl y gân *Lisa Lân*, a'r elfen Mair yn adlais o Mary, enw oedd i'w gael ar ddwy ochr y teulu.

Ar ddiwedd y flwyddyn cyhoeddodd y cylchgrawn *Sgrech* restr enillwyr tlysau newydd Gwobrau Sgrech, wedi'u dewis gan y darllenwyr. Ar frig y rhestr Prif Grŵp Roc, er syndod i'r grŵp ei hun, roedd Eliffant. Roedd gan Euros deimladau cymysg o syndod a phleser:

> Roedd e braidd yn afreal i gael eich dewis yn brif grŵp, canlyniad rhyfeddol, ond do'n ni ddim yn mynd i'w gwestiynu fe.

Cyflwynwyd eu gwobr mewn noson arbennig yn Theatr Seilo, Caernarfon, ym mis Ionawr, ac ar dudalennau'r cylchgrawn ei hun nodwyd:

> Does dim sydd heb ei ddweud am Eliffant erbyn hyn. Enillwyr llwyr haeddiannol prif dlws Noson Wobrwyo Sgrech ac efallai erbyn hyn ein grŵp mwyaf cerddorol.

Arweiniodd llwyddiant *M.O.M.* at wahoddiad i recordio ail record hir, y tro hwn yn stiwdio 24-trac newydd sbon Sain yn Llandwrog. Hefin Elis oedd i gynhyrchu eto, ond y tro hwn teimlai'r band fod angen peiriannydd sain gwahanol, rhywun o'r tu fas i'r byd cerddorol Cymraeg. Gwahoddwyd Phil Ault o Lerpwl, un a chanddo brofiad helaeth o weithio gyda grwpiau ifainc yn Lloegr, i ddod â ffresni i'r sesiynau. Dechreuwyd recordio ym mis Mehefin, cyn cymryd hoe oherwydd prysurdeb perfformiadau Gorffennaf a dychwelyd i orffen y gwaith erbyn dechrau mis Awst.

Unwaith eto, Geraint oedd awdur y caneuon i gyd – deg ohonyn nhw – ond doedd dim sôn am y gofod y tro hwn. Yn hytrach, roedd nifer o'r caneuon yn sôn yn hiraethus am y Gymru a fu, gyda thinc gwledig a gwladaidd yn rhedeg trwyddyn nhw. Roedd *Waunuchaf*, er enghraifft, yn deyrnged i'r ffarm deuluol yn Llanddewi Brefi, ac iddi is-deitl, *Cân Elin*, oedd yn cadw'r ddysgl yn wastad gan fod Lisa'n meddwl bod *Lisa Lân* ar *M.O.M.* yn gân iddi hi! Hefyd, roedd tair cân yn perthyn i gyfnod Butty, a dylanwad Cordell – *Ffair Caerdydd*, *Cân y Mynydd Du* a *Merthyr*, y tro yma yn Gymraeg:

Mae 'na le yng Nghymru, clywais am y sôn
Lle gall dyn gynnal ei hun, heb hidio lliw ei groen
Lle ceir iachawdwriaeth, a gobaith yn ei dro
Ym Merthyr caf ddyfodol, mi af i fro y glo
Gadewais harbwr Dulyn yn un o bedair mil
I ddilyn llwybr lawer, ni fu erioed mor gul
Ac er bod gwynt yn chwythu, araf oedd y mynd
A daeth amheuaeth imi mewn tonnau ar y daith
Nes gweled cei Caergybi a'r croeso ar y traeth

Wrth gerdded strydoedd China, ni welais owns o aur
Ond creithie dwfn y pydlwr, llosg hen boer y pair,
Dros beint yn nhafarn Wellington, ces weledigaeth gref
Mi glywais dorf yn canu ac anwar oedd y llef
Gwelais fro Cill Airne i mi fel porth y nef

Teithio lawr i Ferthyr: ddewch chi gyda mi?

Y gân roddodd enw i'r record hir oedd y rocyr agoriadol *Gwin y Gwan*, y teitl yn fenthyciad o'r llinell anfarwol: 'Guinness yw gwin y gwan'. Roedd y ddiod arbennig honno'n rhan allweddol o gynhaliaeth a chwedloniaeth y grŵp (ac eithrio Colin, Mormon pybyr a llwyrymwrthodwr) ers dyddiau'r Crymych Arms, a'r bwriad oedd atgynhyrchu label y cwrw ar flaen y clawr. Yn anffodus, doedd cwmni Guinness ddim yn teimlo mor dwymgalon tuag at Eliffant ag yr oedd y band at eu cynnyrch nhw a gwrthodwyd y cais. Bu'n rhaid i Charli Britton, oedd yn cynllunio'r clawr, greu arwyddlun newydd oedd yn adlais o un Guinness heb darfu ar hawlfraint y Gwyddelod.

Cyhoeddwyd *Gwin y Gwan* ym mis Awst i gyd-fynd â pherfformiadau'r grŵp yn Eisteddfod Dyffryn Lliw, ond yn wahanol i *M.O.M.*, derbyniad digon cymysg gafodd y record yn y wasg Gymraeg. Yn ôl colofnydd o'r enw Y Troellwr, 'Mae'r elfennau hynny sy'n gyfrifol am eu llwyddiant ar record ac ar lwyfan yn dal i ffynnu'; yn ôl Denver Morgan, yn *Y Faner* y tro hwn:

Nid yw hon yn record berffaith o bell ffordd, wrth gwrs, ond mae'n cynnwys cerddoriaeth gadarn, gyfoes, llawn cyffro. Mae canu Geraint Griffiths gystal ag erioed.

Yn ôl y cylchgrawn *Pais* roedd hi'n 'record gwerth ei phrynu a record y mae'n rhaid gwrando arni ddwywaith neu dair cyn y gallwch ei gwerthfawrogi'n llawn', barn colofnydd y *Carmarthen Times* oedd y byddai'r gân *Gwin y Gwan* 'yn gwneud sengl bendigedig, un a ddylai fod ar bob sgrechflwch yng Nghaerfyrddin'. Ond roedd eraill yn llai caredig; yn ôl un, 'tueddiad Eliffant ydi cynhyrchu caneuon sy'n rhy debyg i'w gilydd a hynny'n mynd yn ddiflas yn y pen draw', ac aeth Robin Gwyn gam ymhellach yn *Sgrech*: 'I ddweud y gwir, diffyg menter ac arbrofi yw prif wendid y record yn gyffredinol.' Adleisiwyd yr ymateb llugoer gan werthiant y record – ochr yn ochr ag *M.O.M.*, siomedig oedd ffigurau *Gwin y Gwan*. O ganlyniad, roedd parti Nadolig 1980 yn fwy tawedog na'r un cynt.

Record arall welodd olau dydd yn 1980 oedd y sengl *Sêr* gan Hogia'r Docie. Grŵp 'gwneud' oedd yr Hogia, wedi'u rhoi at ei gilydd i recordio dwy gân – *Sêr* ac *Annwyl Sêr* – er mwyn hybu rhaglenni cwmni HTV i bobol ifainc, *Seren Un* a *Seren Dau*. Cyfansoddwyd y caneuon gan gynhyrchydd y cyfresi, neb llai nag Endaf Emlyn, ar y cyd â Myfyr Isaac, a gwahoddwyd Geraint i'w canu. Roedd Myf erbyn hyn wedi dechrau sefydlu'i hun fel cynhyrchydd recordiau gyda'r grŵp Bando ac wedi prynu *portastudio*, teclyn recordio newydd oedd, fel mae'r enw'n awgrymu, yn symudol ac, yn bwysicach, efallai, yn rhad. Ers dyddiau Pye Recordmaker ei dad, roedd Geraint wedi mwynhau gosod syniadau cerddorol ar dâp, a phrynodd beiriant Fidelity pan oedd yn byw yn Llundain; ond roedd y *portastudio* 4-trac yn cynnig cyfleon newydd – gallai recordio'i hunan sawl gwaith ar yr un gân, er enghraifft, ac roedd e'n beiriant delfrydol i ddatblygu caneuon *demo* cyn eu cyflwyno i Eliffant.

Cafodd Eliffant ddechrau da o safbwynt perfformiadau byw yn 1981, gydag un noson arbennig yng Nghaerdydd y noson cyn gêm rygbi ryngwladol Cymru yn erbyn Iwerddon, ond arafodd pethau'n sylweddol wedyn. Ar ben hyn, roedd ambell aelod, Colin yn arbennig, yn ei chael hi'n anodd aberthu noson yr wythnos i ymarfer oherwydd pwysau gwaith a theulu. I'w helpu, cytunwyd symud yr ymarferion i seler anferth ei dŷ e yn Broadhaven.

Roedd mwy o bwysau teuluol ar Geraint hefyd, gyda dwy ferch fach a gwraig oedd yn awyddus i adfer ei gyrfa wedi cyfnod o fod yn fam amser-llawn. Daeth cyfle delfrydol i Pauline pan hysbysebodd Ysbyty Glangwili am *staff nurse* rhan-amser a olygai ddwy shifft nos yr wythnos. Gyda Geraint yn gweithio shifftiau dydd, doedd dim angen chwilio am rywun i warchod y merched. Byddai e'n dod adre ar ddiwedd y dydd, byddai'r ddau ohonyn nhw'n rhoi'r plant yn y gwely a byddai Pauline yn mynd i'w gwaith a dychwelyd cyn i'r merched godi yn y bore, heb iddyn nhw sylwi 'i bod hi wedi mynd.

Ymddiddorodd Geraint fwyfwy yn yr ardd y tu ôl i Denver – torrodd berthi, cododd sièd a gweithdy a gosod ffens, wedi'i hadeiladu gan Tommie, tad Pauline, o gwmpas darn o lawnt er mwyn i'r merched gael chwarae'n ddiogel. Tyfodd amrywiaeth o blanhigion yn y tŷ gwydr: 'Tomatos, llysiau, 'nes i hyd yn oed roi cynnig ar dyfu tybaco, ond weithiodd hynny ddim.' Cymerodd fantais o'r coed ysgawen yn yr ardd i wneud ei win ei hun ac arweiniodd hynny at arbrofi â gwinoedd eraill a hyd yn oed brynu gwinwydden. Gwaetha'r modd, fe gymerodd hi flynyddoedd i aeddfedu a chafodd Geraint mo'r cyfle i ddatblygu gwin *vintage* Chateau Denver.

Aeth ymhellach wrth rentu *allotment* gerllaw ar dir hen briordy Sant Ioan – roddodd ei enw i Heol y Prior – am ddim ond punt y flwyddyn. Ar wahân i fanteisio ar bridd du ffrwythlon yr ardal, cafodd hwyl wrth ddarganfod hen bethau fel byclau gwregys, poteli pop henffasiwn, poteli cwrw a hen bibelli clai.

O'i ystafell ymolchi roedd gan Geraint olygfa wych o afon Tywi, yr afon orau yng Nghymru am eog a sewin. Ymunodd â Chymdeithas Bysgota Amatur Caerfyrddin a thyfodd ei frwdfrydedd nes ei fod yn pysgota ddwywaith neu dair yr wythnos yn ystod y tymor, ac fe ymunodd ar un adeg â chlybiau Gwili, Llandysul a Thregaron.

Er bod ganddo fe brofiad o bysgota cwrs yn Llundain, cafodd Geraint dipyn mwy o hwyl yn pysgota pluen am frithyll ar hyd nentydd ac afonydd cyflym Cymru, fel y Gwili, y Cothi a'i ffefryn, afon Teifi:

> Rwy'n ystyried clymu plu pysgota'n gelfyddyd. Ro'n i'n arfer treulio oriau gyda'r nos yn y gaeaf yn plygu dros y bachyn bach yn y *vice* a gweithio'r darnau o ffwr, plu a sidan, a breuddwydio am weld y pysgod yn llamu'n urddasol rhwng y brwyn ger Pont Llanio ar y Teifi.

Uchafbwynt 1981 i Eliffant oedd noson ym mis Awst pan ffilmiwyd y band gan HTV ym Mhontcanna ar gyfer rhaglen awr o hyd yn y gyfres *Roc Sêr*, gydag Endaf Emlyn yn cynhyrchu, ond, yn y diwedd, dim ond wyth gwaith y perfformiodd Eliffant y flwyddyn honno. Roedd y cyfan – y teithio, yr ymarfer, y gigs eu hunain – wedi dechrau mynd yn boen, a brwdfrydedd ambell aelod yn pylu. Yr hoelen olaf yn yr arch oedd y noson pan gyrhaeddodd Colin yn hwyr i ymarfer oedd yn cael ei gynnal yn ei dŷ ei hunan! Cafodd pethau lithro'n dawel heb unrhyw ddadl fawr na drwgdeimlad.

Roedd hi'n gyfnod ansefydlog i Geraint yn ei waith hefyd. Er bod gweithio yn y theatr wedi bod yn gyfleus i'r seren roc – gan ei fod yn gorfod gwisgo cap, gallai dyfu'i wallt yn hir – roedd e bellach wedi colli diddordeb yn y gwaith a doedd e ddim chwaith am ddychwelyd i'r ward. Cynigiodd am gyfres o swyddi yng Nglangwili a'r Awdurdod Iechyd Lleol cyn i Bill Beck gynnig swydd dros-dro iddo fe fel Swyddog Hyfforddiant-Mewn-Swydd. Cafodd hwyl wrth ei waith newydd, a phan hysbysebwyd am swyddog amser-llawn roedd yn awyddus iawn i gael y swydd honno.

Roedd safon yr ymgeiswyr yn arbennig o uchel ac yn y diwedd, er siom i Geraint, cynigiwyd y swydd i fenyw ifanc o'r enw Fran Law a bu'n rhaid i Geraint weithio fel dirprwy iddi am gyfnod byr o drosglwyddo cyfrifoldebau; yn ffodus, tyfodd perthynas dda rhwng y ddau. Gwellodd pethau eto wrth i Geraint dderbyn cynnig arall gan Bill, sef swydd barhaol fel swyddog nyrsio, *Nursing Process Co-ordinator*:

> Ffordd newydd o reoli gofal oedd y *Nursing Process*, syniad o America wrth gwrs, ond ro'n i'n cytuno ag e. Roedd e'n rhoi mwy o ymreolaeth a chyfrifoldeb i nyrsys, rhywbeth fyddai'n eu galluogi nhw i wneud eu gwaith nhw'n well.

Cafodd Geraint hyd yn oed ragor o flas ar y swydd hon na'r un flaenorol. Rhannai swyddfa gyda Fran yng Nglangwili, ond doedd e ddim yn gaeth yno gan fod ganddo fe gyfrifoldeb dros ysbytai eraill. Roedd y rhyddid newydd yn beth braf, er bod yna ben draw i'r swydd – wedi sefydlu'r broses newydd ymhob ysbyty, fyddai dim angen cydlynydd.

ELIFFANT II

Roedd teulu bach Denver yn tyfu a'r rhieni balch wrth eu bodd
â'r merched:

> Roedd Elin yn dipyn o ryfeddod, a dweud y gwir, er
> mae'n siŵr fod pawb yn meddwl hynny am eu cyntaf-
> anedig. Roedd hi'n gynnar yn cerdded ac yn siarad. Pan
> fydden i mas, a hithau'n cysgu yn y còt, fe fyddai hi'n
> deffro a dweud 'Dad'. Doedd hi ddim wedi 'nghlywed i
> wrth y gât na dim fel'ny – roedd hyn rai munudau cyn i fi
> gyrraedd – ac roedd e'n digwydd bron bob tro y bydden
> i'n mynd mas. Roedd Lisa hefyd yn hynod a threuliodd hi
> 'i dwy flynedd gynta'n astudio'i chwaer fawr a dysgu oddi
> wrthi hi. Maen nhw wedi bod yn agos erioed.

Wedi i Elin gael ei geni, penderfynodd Geraint a Pauline
ddychwelyd at lysieuaeth, a chyda gardd ac *allotment* cyfleus,
roedd hi'n gymharol rwydd dilyn y ffordd yma o fyw. Ymunodd
y ddau â'r *Vegetarian Society* a magwyd y merched yn lled-
lysieuwyr o'r crud.

Tŷ digon bychan oedd Denver pan symudodd y Griffithsiaid
i mewn yn 1977, ond erbyn 1981 roedd y gegin wedi'i
hymestyn a'r atig wedi'i thrawsnewid yn ystafell wely
ychwanegol. Contractwyr lleol oedd yn gyfrifol am y rhan
fwyaf o'r gwaith, gyda rhan o'r cyllid yn dod o grantiau
adnewyddu gan y cyngor, ond bwriodd Geraint ati hefyd i
wneud cyfran o'r gwaith ac o ganlyniad cafwyd fod rhywfaint o
arian ar ôl ar y diwedd. Rhoddodd hyn, a chynnig parod Tad-cu
a Mam-gu Aberaeron i edrych ar ôl y plant, gyfle i Geraint a
Pauline wireddu breuddwyd a theithio i America.

Mewn awyren British Caledonian, cyrhaeddodd y ddau ddinas Atlanta lle'r oedd Michael Lubin o ddyddiau Atkinson Morley bellach yn byw, a chawson nhw groeso cynnes. I Geraint, roedd America a'i danteithion wedi apelio erioed, wrth gwrs, ers dyddiau'r *Lone Ranger* a'r *Range Rider*, *rock'n'roll* a Bob Dylan, ond nawr dyma ddod wyneb yn wyneb â realiti'r lle, a chafodd Geraint mo'i siomi:

> y ceir mawr, y *bars*, y cyffro ac, yn fwy na dim, arogl magnolia Atlanta sydd wedi aros yn y synhwyrau.

Roedd digon o gyfle hefyd i esbonio i bobol ble'r oedd Cymru:

> Dim ond un person oedd wedi clywed am y lle, bachan ifanc Affro-Americanaidd oedd yn gwerthu rhosynnau sidan ar y stryd – a hynny oherwydd Richard Burton!

Roedd Pontrhydyfen wedi taflu'i chysgod yn bell.

O Atlanta, ymlaen i Nashville a thref gyfagos Franklin, lle prynodd Geraint ei bâr cynta o *cowboy boots* go-iawn, cyn gorffen y daith gydag ychydig ddyddiau yn Disneyworld, Florida: 'Roedd y cyfan fel camu mewn i'r teledu.'

Un o resymau Geraint a Pauline dros adael Llundain a dychwelyd i Gymru, wrth gwrs, oedd y dymuniad i godi'u plant trwy gyfrwng y Gymraeg, felly doedd dim amheuaeth ynglŷn â'u haddysg nhw. Cyn gynted ag yr oedd Elin yn ddigon hen, cychwynnodd ei chyfnod yn Ysgol y Dderwen, Caerfyrddin, a dilynodd Lisa yn ei thro. Gartre, er bod dwy iaith i'w clywed, Cymraeg a siaradai'r merched â'i gilydd a gyda'u tad a Saesneg gyda'u mam, gan symud yn hollol naturiol o'r naill iaith i'r llall. Chymerodd hi ddim yn hir, chwaith, i Pauline fwrw ati i ddysgu'r Gymraeg.

'Doedd Eliffant ddim wedi marw, ond mi oedd e mewn coma,' oedd dadansoddiad Geraint o sefyllfa'r band ar ddiwedd 1981. Yn dilyn trafodaeth gyda'r aelodau eraill, cytunwyd bod

92

gobaith cael deffroad ond bod angen drymiwr newydd. Gwahoddwyd tua hanner dwsin o ddrymwyr i ymarfer gyda'r band ond, yn y pen draw, trwy Euros y cafwyd hyd i'r bachan iawn. Brodor o Gellan ger Llambed oedd Gordon Jones, oedd bellach yn byw ac yn gweithio yn Llundain a chanddo ddeng mlynedd o brofiad yn chwarae popeth o gerddoriaeth ddawns i *punk*:

> Ro'n i'n nabod Euros trwy weithio yn Theatr Felinfach a ro'n i wedi cwrdd â Geraint mewn gig yn Llanybydder ddiwedd y saithdegau. Roedd e'n 'y nharo i fel boi deallus, penderfynol gyda digon o hyder hyd at fod yn *arrogant*, ond yn fwy na dim roedd e'n gallu gwerthu cân. A dweud y gwir, dwi ddim yn meddwl y byddai 'na Eliffant heb Geraint.

Fel drymiwr, roedd Gordon yn ysgafnach ei gyffyrddiad nag arddull roc trwm Colin, ac roedd hynny'n gweddu i'r dim i gyfeiriad caneuon newydd Geraint. Cafodd gynnig y jòb, aeth ati i drefnu i symud 'nôl adre a dechreuodd y band ymarfer unwaith eto. I nodi dechrau cyfnod newydd, prynodd y lleill offerynnau newydd, gyda Geraint yn ychwanegu Fender Telecaster at ei gasgliad o gitarau a phiano trydan Wurlitzer ar gyfer rhai o'r caneuon. Ar yr ochor gymdeithasol, cynhaliwyd parti Nadolig hwyr ym mis Ionawr.

Derbyniodd y band wahoddiad gan y cynhyrchydd Eurof Williams i recordio sesiwn ar gyfer y rhaglen boblogaidd *Sosban* ar Radio Cymru. Recordiwyd pedair cân yn stiwdio 1-2-3 Dafydd Pierce yn Bute Street, Caerdydd, gan obeithio defnyddio'r tâp yn ogystal fel *demo* i berswadio Sain i fuddsoddi mewn record hir arall.

Perfformiodd y grŵp yn fyw am y tro cynta ar ei newydd wedd, gyda Gordon wedi setlo'n gyfan gwbwl, ar 12 Ebrill yng ngwesty Blaendyffryn, Llandysul, a chael croeso cynnes yn ôl, a dechreuodd y gwahoddiadau lifo i mewn unwaith eto.

Daeth Eurof Williams â sialens newydd i Geraint yn ystod

gwanwyn 1982. Gyda'r Eisteddfod Genedlaethol yn ymweld ag Abertawe y flwyddyn honno, roedd Eurof, brodor o Bontardawe, wedi derbyn comisiwn i gyfansoddi opera roc ar hanes a gwaith y bardd Gwenallt. Cleif Harpwood oedd wedi'i gastio fel Gwenallt a gwahoddwyd Geraint i gymryd rhan Niclas y Glais. Perfformiwyd *Gwenallt* yn y Top Rank, Abertawe, am ddwy noson ac er bod yr ymateb yn gymysg roedd canmoliaeth i gyfraniad Geraint yn *Y Cymro* gan Hefin Elis, yn gwisgo het beirniad:

> Rhoddodd ymddangosiad Geraint Griffiths fel Niclas y Glais ysgytwad hir-ddisgwyliedig i'r opera, a'r portread yma, er cyn lleied oedd y rhan, oedd uchafbwynt y cynhyrchiad.

Dyna hefyd oedd barn Bob Roberts yn yr *Evening Post*: 'Geraint Griffiths as Niclas y Glais was particularly effective and injected pace and power into the show in all his numbers.'

Yn ystod yr hydref cyhoeddwyd record hir o gyfraniadau amrywiol i raglen *Sosban* dan y teitl *Sesiwn Sosban*, yn eu mysg *Gwylio Arna I* gan Eliffant a recordiwyd yn sesiwn 1-2-3, ond doedd dim sôn am record hir arall i'r grŵp, er bod dwy flynedd ers *Gwin y Gwan*.

Ar ddechrau'r flwyddyn ganlynol torrwyd tir newydd wrth i Eliffant wneud ei fideo cynta – a'r ola – a hynny i HTV. Yn hytrach na pherfformiad gan y band, y syniad oedd creu dehongliad dramatig o'r gân *Gwin y Gwan*, gyda Geraint, John a Gordon fel tri alcoholig yn sefyll o gwmpas tân agored yn un o strydoedd cefn Caerdydd. Roedd gofyn i gymeriad John chwifio cyllell o'i flaen ac yna syrthio i'r tân ond fe aeth i ysbryd y darn mor egnïol fel bod rhaid cael gair ag e, ar ôl cwpwl o *takes*, er mwyn ei berswadio 'i fod e'n peryglu'i hunan, a'r lleill, a bod dim angen bod cweit mor frwdfrydig!

Er gwaethaf nifer o ymddangosiadau teledu a pherfformiadau byw, roedd yr ysfa i recordio yn dal i gael ei rhwystro. Methwyd â dod i gytundeb gyda Sain ar seiliau ariannol – roedd gwerthiant recordiau roc Cymraeg yn lleihau a ffigurau *Gwin y Gwan* yn dal yn siomedig ac roedd Sain yn anfodlon mentro gyda thrydedd record hir. Yr ateb amlwg oedd dechrau label newydd eu hunain, gan ddilyn esiampl nifer o grwpiau Cymraeg eraill ar y pryd, ac, fel adlais o symbol cwmni enwog HMV (talfyriad o His Master's Voice) o gi'n gwrando ar hen gramoffon, lluniwyd logo gan Douglas Williams, artist graffeg a ffrind hynaf Gordon, o eliffant yn gwneud yr un peth ac, i orffen y deyrnged, enwyd y cwmni'n LLEF, sef Llais ei Feistr.

Am resymau ariannol a hefyd oherwydd rhywfaint o anghytuno o fewn y grŵp ynglŷn â natur caneuon newydd Geraint, oedd yn symud ymhellach oddi wrth arddull roc, penderfynwyd anghofio am record hir am y tro a gweld beth fyddai'r ymateb i record sengl cyn mentro ymhellach. Ym mis Mehefin recordiwyd dwy gân yn stiwdio Richard Morris, Stiwdio'r Bwthyn, yng Nghwmtwrch, *Ti yw'r Unig Un i Mi*, rocyr masnachol ffwl-pelt, a *Tywyllwch* oedd yn cynnwys elfennau oedd yn ymdebygu i *jazz* a *funk*. Archebwyd 500 o gopïau ac argraffwyd y cloriau mewn du a gwyn, eto er mwyn arbed costau, ac roedd yn rhaid eu plygu a'u gludo nhw fesul un. Y bwriad oedd gwerthu'r senglau mewn gigs, am £1.30 yr un, a hefyd drwy'r post.

At ei gilydd cafodd y record dderbyniad gwresog, gyda mynd arni mewn nosweithiau byw, a daeth *Ti yw'r unig un i mi* yn ffefryn radio dros nos, ond roedd *Sgrech* yn ddigon dilornus:

> Trist gorfod nodi mai 'rhy ychydig rhy hwyr' yw'r dyfarniad. Mae'n rhaid edmygu dyfalbarhad y grŵp, a choeliwch fi, mae 'na gefnogwyr sy'n dal i ymfalchïo fod Eliffant yma o hyd, ond roedd angen tipyn gwell record na hon i sicrhau y byddant yma llawer hirach.

Er gwaethaf sôn am recordio record hir i gwmni Gwerin, roedd sylwadau fel hyn a'r anesmwythyd cynyddol o fewn y grŵp yn dechrau creu awyrgylch negyddol.

Cychwynnodd 1984 mewn steil gyda chyngerdd yn Theatr Felinfach i ddathlu, ychydig yn gynnar, ben-blwydd y grŵp yn

saith oed, gydag aelodau'r band mewn gwisg hanner-ffurfiol –
tei bô, siacedi *DJ* . . . a *jeans*! Dilynodd y parti Nadolig arferol,
eto'n hwyr, ym mis Chwefror, ond er bod yr ochr gymdeithasol
yn fyw ac yn iach roedd yr ochr gerddorol wedi chwythu'i
phlwc. Wedi cwpwl o berfformiadau teledu daeth y cyhoeddiad
bod Eliffant yn rhoi'r gorau iddi.

Doedd y profiad ddim yn ddi-boen ond, oherwydd y
cyfeillgarwch personol oedd wedi tyfu ochr yn ochr â
datblygiad cerddorol y band, doedd yna ddim drwgdeimlad
parhaol. Yn ôl Geraint:

> Roedd yr amser wedi dod, roedd angen newidiadau er
> mwyn cadw pethau'n ffrèsh. Roedd y gerddoriaeth wedi
> newid, finne nawr yn chwarae allweddellau ar hanner y
> caneuon ac yn cyfansoddi mwy o faledi, llai o roc. Dyw'r
> *catalyst* arweiniodd at y diwedd ddim yn bwysig; roedd
> hi'n amser gadael i bethau fynd.

I Gordon, roedd y rhesymau dros roi'r gorau iddi'n cynnwys:

> Y *chemistry* personol yn lleihau, cecru, styfnigrwydd a
> mwy na thebyg yn y bôn, diffyg goddefgarwch. Wy'n
> credu fod pawb ar y pryd yn credu'i bod hi'n syniad da
> rhoi hoe i Eliffant am y tro.

Cred Euros yw bod Eliffant wedi dilyn patrwm naturiol:

> Un o'r pethau dwi wedi'u dysgu o weithio gydag addysg
> ieuenctid cymunedol yw bod bywyd naturiol i bob egni
> creadigol. Y peth pwysig i'w sylweddoli yw mai'r *dynamic*
> yw'r peth allweddol. Unwaith mae'r *dynamic* creadigol
> wedi dod i ben, mae'n bryd darganfod ffurf newydd er
> mwyn sbarduno a chyfeirio'r nerth creadigol. Mae bandiau'n
> dilyn yr un egwyddor ac mae dirywiad un patrwm yn rhan
> o'r broses o symud 'mlaen at gyfleon creadigol newydd.
> Roedd, ac mae, profiad Eliffant yn amhrisiadwy.

Oakwood, Pontrhydyfen. Mae'r Row yn y blaen ar y dde.

Tomos Griffiths –
'Tad-cu Penhydd Street'.

William Griffiths – hen dad-cu.

Band taro Ysgol Gymraeg Pontrhydyfen tua 1958. Geraint sydd â'r drwm, trydydd o'r dde yn y rhes gefn.

Gorymdaith Llungwyn ym Montrhydyfen. Geraint a John Griffiths gyda Syd, tad John, ar y blaen.

Geraint gyda Tad-cu a Mam-gu yn ffarm Waunuchaf.

Geraint yn ddwyflwydd a chwarter gyda'i fam a'i dad yn Aberystwyth.

Parti stryd y Row; Geraint yr ail o'r dde. (Coroni Elizabeth II).

Geraint yn ei wisg ysgol
newydd wrth gychwyn yng
Nglanafan.

Geraint a John yn Eisteddfod
yr Urdd, Brynaman.

Anti Mat yn 24 oed, 1933.

Priodas Tommie a Rose Ryan, rhieni Pauline.

Bryn a Ray wythnosau cyn eu priodas yn 1936.

Geraint adeg gweithio yn Rhydlafar.

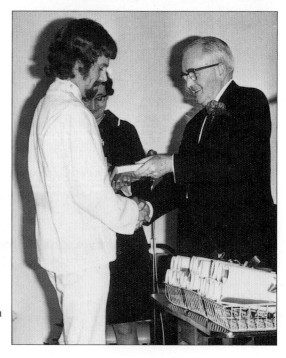

Geraint yn derbyn
gwobr nyrsio –
Glangwili 1974.

'The Dream Time People' ym Mhontrhydyfen tua 1965.

'Butty 1975'.

Limbotrol yng
Nghastell Carreg
Cennen, 1973.

Geraint a'i gyd-gerddorion mewn priodas 1974.

Geraint yn ymarfer yn
Aberystwyth gyda
Injaroc.

Injaroc 1977.

Geraint yn y 'Golden Lion' Caerfyrddin. Clive Richards ar y bas.

Eliffant
1979.

Eliffant 1982.

Geraint a'r band. Hefyd Caryl Parry Jones, 1986.

'The Undecided'.

Y Gwehyddion. 2003.

Beicio gyda Merlin yn swydd Tipperary, Iwerddon, 1993.

Pauline, Geraint, Merlin a Josh y ci yn Soar y Mynydd,

Llun Pauline gan Geraint, 1989.

Y Griffithsiaid ar wyliau yn Iwerddon tua 1993: Pauline, Lisa, Geraint ac Elin.

CANU I GYMRU

Er bod Bryn a Ray'n mwynhau eu hymddeoliad yn Aberaeron, ro'n nhw'n awyddus i weld eu hwyrion yn amlach, ac ar ôl chwilio am le addas symudodd y ddau i Gaerfyrddin ym mis Chwefror 1984 ac ymgartrefu mewn fflat diogel dwy-ystafell gyda warden yn gofalu am y lle. Â'r ddau bellach yn eu saith-degau, ond yn ddigon bywiog, fe setlon nhw'n rhwydd iawn i'w bywyd newydd, gan ymuno â chapel Bethania. Cyn bo hir, fe fyddai aelodau eraill y teulu'n ymuno â nhw.

Un diwrnod daeth Elin, gyda Lisa'n gefn iddi, â chais i'w rhieni. A gâi'r merched fynd i'r capel fel eu ffrindiau ysgol? Er bod dyddiau Jerusalem, Pontrhydyfen ymhell y tu ôl i Geraint, ac yntau heb fynychu capel yn rheolaidd ers hynny, roedd ochr ysbrydol bywyd yn dal yn bwysig iddo fe ac yn rhan o ethos y teulu bach, felly cytunwyd â'r cais, ac yn fwy na hynny byddai Geraint a Pauline yn mynd gyda nhw.

Ymunodd pawb â gweithgaredd Bethania; mewn un gwasanaeth carolau cofiadwy perfformiodd Elin a Lisa ddeuawd tra bod Geraint yn rhan o driawd gyda'i dad a'i fam. Cafodd y merched eu bedyddio yno a bydden nhw'n mynychu'r Ysgol Sul yn rheolaidd:

> Y drefn arferol oedd bod pawb yn mynd i'r gwasanaeth boreol ond y plant wedyn yn mynd i'r festri ar gyfer yr Ysgol Sul yn ystod y bregeth. I'r plant lleiaf, roedd hyn yn golygu darlunio a lliwio, a chan fod y ddwy'n gallu darllen ymhell cyn mynd i'r ysgol, roedd hyn braidd yn anniddorol iddyn nhw. Ro'n i'n teimlo y bydde nhw wedi elwa mwy o aros ar gyfer y bregeth, fydde'n rhoi cyfle i ni drafod y pwyntiau oedd yn codi fel teulu, achos ry'n ni wastad wedi bod yn deulu sy'n hoff o drafod unrhyw beth dan haul. Ry'n

ni wastad wedi bod yn onest ac agored gyda'r merched a dim pynciau *taboo*. Gadwon ni i fynd nes bod y merched yn penderfynu nad o'n nhw am fynd rhagor. Roedd hynny'n iawn, ond roedd e'n brofiad teuluol gwerthfawr tra parodd e.

Er bod y profiad capelyddol drosodd, parhau wnaeth yr ochr ysbrydol, a gweddïo'n rhan o hynny:

> Rwy'n dal i weddïo, dwi wastad wedi gwneud; fel'na ges i'n magu. I bwy neu i beth? Wel, ma hwnna'n gwestiwn arall. Pan o'n i'n grwt, ro'n i'n arfer meddwl, wrth weddïo am rywbeth, eich bod chi'n tynnu ar rhyw gasgliad o egni mas 'na yn y bydysawd yn rhywle, ac wrth weddïo mewn diolch ro'ch chi'n rhoi'r egni 'na 'nôl. Rwy hefyd wrth 'y modd yn ymweld â hen adeiladau, yn enwedig eglwysi, a fydda i wastad yn defnyddio'r dŵr sanctaidd ac yn croesi fy hunan, rhywbeth dwi wedi dysgu'i wneud. Pam lai? Dyw e'n gwneud dim niwed a falle'i fod e'n gwneud lles. Mae e i gyd yn rhan o'n angen i am yr ysbrydol a hefyd 'y nhuedd i tuag at ofergoeledd.

Wedi sefydlu S4C yn 1982 a'r nifer ychwanegol o raglenni ddaeth yn ei sgil, cafodd Geraint sawl cynnig i ganu fel unigolyn, yn ogystal ag fel rhan o Eliffant, ar raglenni adloniant y sianel fel *Sioe Caryl* (Parry Jones) a *Fe Sgrifennais i Hon*. Wrth i'r grŵp dynnu tua'r terfyn, daeth cynnig amserol iawn i ganu tair o ganeuon yng nghystadleuaeth Cân i Gymru '84. Ar y pryd, y BBC oedd yn gyfrifol am y gystadleuaeth, oedd i'w darlledu'n fyw ar deledu a radio ar Ddydd Gŵyl Dewi. Myfyr Isaac oedd yn gyfrifol am roi'r band cefndir at ei gilydd, ac, er mwyn sicrhau'r ansawdd sain gorau ar y noson, recordiwyd chwe chân y gystadleuaeth o flaen llaw; er bod disgwyl i Geraint roi perfformiad i gyfeiliant y recordiadau, y sain 'o flaen llaw' fyddai'n cael ei darlledu. Aeth popeth yn iawn o ran y perfformiadau, gyda Geraint a Caryl Parry Jones yn rhannu'r dyletswyddau canu, gan gynnwys un ddeuawd, ac yn dilyn pleidlais gan y beirniaid yn y stiwdio daeth cân *Y Cwm* gan Huw Chiswell i'r brig.

Yn ôl yr arfer wedyn, gwahoddwyd Geraint yn ôl i'r llwyfan i ganu'r gân fuddugol i gloi'r rhaglen. Dechreuodd y gerddoriaeth a tharodd Geraint ei nodau cynta a sylweddoli'n syth nad oedd y recordiad bellach yn cynnwys ei lais e, a chan nad oedd ei feic chwaith yn 'fyw', doedd neb yn ei glywed e. Mewn darllediad byw roedd yn rhaid meddwl yn gyflym – a dyma ddechrau chwarae â'r meic fel petai rhywbeth yn bod ar hwnnw, gan ddal i ganu yn y gobaith y deuai'r sain yn iawn. Ar ôl eiliadau oedd yn teimlo fel oriau daeth popeth i'w le, a gorffennwyd y rhaglen yn berffaith. Daeth hi'n amlwg wedyn bod y peiriannydd sain ar y noson wedi penderfynu amrywio ychydig ar y *mix* ar gyfer y gân fuddugol, yn hytrach na defnyddio'r un balans â'r gwreiddiol, gan rywsut ddiffodd y prif lais – elfen weddol bwysig yn nhyb rhai!

Cafodd y dyn sain lond ceg a chafodd Geraint lythyr o ddiolch gan gynhyrchydd y rhaglen deledu, Delwyn Siôn:

> Dim ond nodyn i ddiolch i ti am dy gyfraniad gwych i *Cân i Gymru '84*, yn arbennig o gofio beth ddigwyddodd i'r sain ar y gân olaf – mi fyddai ambell i berfformiwr wedi 'rhewi'n sownd' ond (diolch i Dduw!) mi ddangosaist ti pa mor broffesiynol oeddet ti – mae gwneud y peth 'naturiol' mewn sefyllfa annaturiol yn anodd iawn iawn.

Yn unol â thraddodiad Cân i Gymru, roedd disgwyl nawr i Geraint a'r *Cwm* gynrychioli Cymru yng nghystadleuaeth Celt-deledu, neu *Celtavision*, rhan o'r Ŵyl Ban-Geltaidd a gynhelid ar y pryd yng Nghil Airne ym mis Mai. Gan fod Myfyr a'i gerddorion yn brysur, roedd angen rhoi band newydd at ei gilydd, a Tich Gwilym o'r Cynganeddwyr ar y gitâr, Jim O'Rourke ar yr allweddellau a'r hen ffrindiau Clive Richards ar y bas a Gordon Jones ar y drymiau fu'n cyfeilio i Geraint yn Iwerddon.

Roedd radio a theledu BBC Cymru yno eto, ynghyd â BBC'r Alban ac RTE Iwerddon, i recordio'r gystadleuaeth ac uchafbwyntiau eraill yr ŵyl, gyda chystadleuwyr yn cynrychioli'r chwe gwlad Geltaidd – Cymru, Iwerddon, yr

Alban, Llydaw, Cernyw ac Ynys Manaw. Yn anffodus, er gwaethaf perfformiad arbennig gan Geraint a'r grŵp, daeth *Y Cwm* yn ail i grŵp Ragamuffin o Gernyw yn y gystadleuaeth Celt-deledu. Ond roedd wedi bod yn brofiad arbennig – ar ddiwedd y dydd, cafodd y criw dridiau o hwyl anghyffredin a mwy na'u siâr o Guinness.

Profodd *Y Cwm* yn arwyddocaol mewn sawl ffordd – prin fod yna gân arall yng nghystadleuaeth Cân i Gymru wedi cael cystal derbyniad. Rhoddodd gychwyn ar yrfa Huw Chiswell fel cyfansoddwr ac, yn ddiweddarach, fel perfformiwr, a sefydlodd Geraint fel perfformiwr unigol poblogaidd. Daeth sawl cynnig i berfformio'r gân ar deledu a chynyddodd y galw am record ohoni, ac wythnos cyn yr Eisteddfod Genedlaethol daeth llythyr gan yr hen gyfaill Hefin Elis, oedd bellach yn un o gyfarwyddwyr cwmni Sain. Meddai'r llythyr:

> Rydym wrthi ar hyn o bryd yn cynllunio gwaith gweddill y flwyddyn ac yn meddwl tybed a fyddai gennyt ti ddiddordeb mewn gwneud record hir i'w chyhoeddi erbyn y Nadolig? Rhag ofn bod unrhyw gamddealltwriaeth wedi codi ar ôl i ni wrthod trydedd record gan Eliffant hoffwn wneud yn glir ein bod wedi credu erioed bod gennyt lais arbennig ond efallai nad Eliffant oedd y cyfrwng gorau iddo ar ôl *W Capten*. Mae hyn wedi'i gadarnhau o'n safbwynt ni ar ôl dy glywed yn canu gyda chyfeiliant gwahanol e.e. Cân i Gymru, *Fe Sgrifennais i Hon* ac yn y blaen, ac hefyd yn canu caneuon pobol eraill.

Wedi'r siom o fethu â pherswadio Sain i recordio mwy gan Eliffant, roedd yna eironi perffaith yn y ffaith bod y cwmni nawr yn dod at Geraint i ofyn am record.

Llambed oedd lleoliad Eisteddfod Genedlaethol 1984 ac, yn naturiol ddigon, roedd Theatr Felinfach ac Euros Lewis ynghanol y gweithgareddau. Aeth Euros ati i gyfansoddi drama gerdd, *Dewrach Rhain*, y teitl wedi'i godi o gerdd Waldo Williams, *Eirlysiau*, gyda'r bwriad o osgoi drama gerdd basiantaidd draddodiadol, gan ymdrin yn hytrach â realiti

100

bywyd pobol ifainc yng nghanol yr wythdegau. Gyda chaneuon gan Richard Jones o'r grŵp Ail Symudiad a Jim O'Rourke, criw ifanc Theatr Felinfach oedd cnewyllyn y cast, gydag un canwr gwadd – Geraint Griffiths. Stori criw o fyfyrwyr mewn ysgol berfformio yn herio'r sefydliad oedd *Dewrach Rhain*, gyda golygfeydd ac iaith gignoeth ar adegau, fel yr awgrymai'r rhybudd 'anaddas i blant' ar y posteri.

Perfformiwyd *Dewrach Rhain* am bedair noson, ac yn ei adolygiad i'r *Cymro* nododd Myrddin ap Dafydd fod hon yn ddrama oedd 'yn gafael, a hynny'n gredadwy hefyd, yn bennaf oherwydd y perfformio uniongyrchol, di-ffansi a gafwyd gan y cast ifanc' a hefyd bod 'Geraint Griffiths (y myfyriwr hŷn!) yn graig i'r cwbl.'

Bu gweddill wythnos yr Eisteddfod hefyd yn ddigon prysur i Geraint, gafodd wisgo het arall fel beirniad rhai o'r cystadlaethau roc a phop ym mhabell ieuenctid Bedlam, a bu'n canu yn y pafiliwn yn sioe y BBC, *Ffanffer*.

Yn dilyn y Steddfod, treuliodd Geraint dalp o fis Awst yn ffilmio a recordio fersiwn newydd o'r *Meseia* gan Handel. Y cerddor Tom Parker fu'n gyfrifol am ddiweddaru'r gerddoriaeth, yn wreiddiol ar gyfer darllediad teledu yn Saesneg adeg Nadolig 1982. Gyda chyfieithiad i'r Gymraeg gan John Gwilym Jones, roedd S4C wedi comisiynu fersiwn Cymraeg ar gyfer Nadolig 1984 a gwahoddwyd Geraint i fod yn un o'r prif gantorion, ynghyd â Sue Jones Davies a Sonia Jones. Ffilmiwyd golygfeydd *Teilwng yw'r Oen* ym Mro Morgannwg a recordiwyd y gerddoriaeth yn Llundain a Chaerdydd gyda Tom Parker yn gyfrifol am yr ochor offerynnol a Chantorion Ieuenctid De Morgannwg yn ffurfio'r corws.

Derbyniodd gynnig Sain i gynhyrchu record unigol ac aeth ati i gyfansoddi mwy o ganeuon ac i roi band at ei gilydd ar gyfer y recordiad. I'r perwyl hwnnw, trodd at Myfyr Isaac, oedd wedi casglu criw o gerddorion penigamp at ei gilydd ar gyfer gwaith teledu – Graham (La) Land ar y drymiau, Chris Childs ar y bas, Graham Smart ar yr allweddellau a Myf ei hun ar y gitâr. Roedd gweithio gyda cherddorion o'r ansawdd hwn wedi bod yn fwynhad pur ar Cân i Gymru, felly gwahoddwyd y cyfan ohonyn nhw i gyfeilio ar y record a gofynnwyd i Myf gynhyrchu.

Dechreuwyd ar y gwaith recordio ym mis Hydref a, chyda cymorth lleisiol Caryl Parry Jones a'r tair chwaer o Ddeiniolen, Annette, Olwen a Marina Bryn Roberts, crëwyd casgliad amrywiol o ganeuon, o ffwnc y gân agoriadol *Dilyn y Peipar* – gyda'r llinell heriol 'bownsio 'nôl wnaiff y goreuon' – i werin Celtaidd *Yr Esgair*, gospel *Edrych am Rywbeth* a chanu gwlad *Cowbois Crymych*, heb sôn am bresenoldeb anorfod *Y Cwm*. Roedd Geraint eisoes wedi penderfynu ar *Madras* fel teitl i'r LP – cryno, bachog ac awgrymog – ond teimlad Hefin oedd y byddai enwi'r record ar ôl un o'r caneuon yn syniad da o safbwynt marchnata. Yn hytrach na newid y teitl, cyfansoddodd Geraint gân newydd â thinc ddwyreiniol yn perthyn iddi ac ychwanegodd Myf berl o solo gitâr ati. Erbyn mis Tachwedd roedd y gwaith wedi'i gwblhau.

Gwelodd Rhagfyr 1984 Geraint yn cystadlu ag ef ei hunan wrth i ddwy record hir *Madras* a *Teilwng yw'r Oen* gyrraedd y siopau tua'r un adeg. Cafodd y ddwy groeso, er mai *Madras* gafodd fwyaf o sylw fel record. I'r *Cymro*, cafodd Emyr Huws Jones fath o dröedigaeth gerddorol: 'Fûm i erioed yn un o ffans Eliffant ac ro'n i'n ofni mai'r un math o stwff fyddai ar *Madras*. I'r gwrthwyneb, mae llawer mwy o amrywiaeth a melodi yn y caneuon ar *Madras*,' ac roedd barn Nic Parry yn *Sgrech* yn ddiamod: 'Mynnwch gopi. Mae'n ychwanegiad safonol i unrhyw gasgliad recordiau.' Ond efallai mai'r adolygiad gorau oedd un gan griw o blant anfonodd nodyn – ac anrheg – at Geraint:

Annwyl Geraint Griffiths,

Rydym ni yn Ysgol Crymych wedi clywed eich record am 'gowbois Crymych'. Mae'n gân dda dros ben . . . Dymunwn i chwi bob llwyddiant.

    Hwyl fawr,

Dosbarth 2 Ysgol Gynradd Crymych
O.N. Llongyfarchiadau – mae *Teilwng yw'r Oen* yn *brill.*

Ac er na ddefnyddiodd hi'r gair *brill*, dyna hefyd oedd barn Hafina Clwyd, adolygydd teledu'r *Faner*, am delediad *Teilwng yw'r Oen*:

> Nid oes arnaf ofn dweud mai dyma un o'r pethau gorau a welais erioed ar S4C . . . yr oeddwn eisoes wedi gwrando ar y perfformiad ar record ac wedi fy swyno gan y seiniau ffres a bwrlwm y miwsig cefndir. Ond yr oedd gweld y perfformiad ar y sgrin yn gyfareddol ac yn brofiad ysgytwol bron. Agorwyd gyda Geraint Griffiths yn canu *Hedd yn Awr* ac yr oedd ei lais heintus, ei ystum *nonchalant*, ei symudiadau ymlaciol, yn wir gampus.

Ac yn y blaen.

Roedd 1984 wedi bod yn flwyddyn a hanner a doedd dim argoel fod pethau am newid yn '85 wrth i Geraint dreulio nos Galan yn perfformio ar raglen deledu Hywel Gwynfryn.

Ynghanol eira Ionawr daeth dros hanner cant o gantorion amlycaf y byd roc Cymraeg at ei gilydd i stiwdio Loco ger Caerleon i recordio ateb Cymru i *Do They Know it's Christmas* gan Band Aid, ymgais i godi ymwybyddiaeth ac arian yn sgil y newyn yn Ethiopia. Grŵp gwerin Ar Log oedd y tu ôl i'r syniad a gofynnwyd i Huw Chiswell, cyfansoddwr y foment, greu cân anthemig, ac aeth ati i gyfansoddi *Dwylo Dros y Môr*. Myfyr a'i fand, ynghyd â Tich Gwilym, oedd y cerddorion ac, yn null Band Aid, dewiswyd rhai o'r cantorion mwyaf adnabyddus, Geraint yn eu mysg, i ganu llinell yr un o bennill a phawb yn ymuno yn y gytgan. Y bwriad oedd codi £10,000, a gwnaed 500 o gopïau i gychwyn, ond yn y pen draw gwerthwyd 25,000 ohonyn nhw, ac am un wythnos ym mis Chwefror roedd siart recordiau Cymraeg y *Carmarthen Journal* yn nodi bod *Dwylo dros y Môr* ar y brig gyda *Teilwng yw'r Oen* a *Madras* yn ail a thrydydd.

Ar Ddydd Gŵyl Dewi dychwelodd Geraint i'r rhaglen Cân i Gymru, ond y tro hwn fel beirniad; bythefnos yn ddiweddarach perfformiodd Geraint Griffiths a'r Band – Myfyr, La, Chris,

Graham a Chris Winter, un arall o gerddorion sesiwn Myf, ar allweddellau a sacsoffon – am y tro cynta yn Roc y Doc yn yr hen gyfnewidfa lo yng Nghaerdydd:

Brynes i *outfit* newydd yn arbennig – sgidie gwyn, trowsus du, crys-T du a siaced wen a broitsh *diamante* ar y lapel.

Y freuddwyd fawr erioed, yn enwedig yn ystod dyddiau Llundain, oedd gwneud bywoliaeth fel cerddor ac, am y tro cynta, roedd yna bosibilrwydd o wireddu'r freuddwyd honno. Gyda galwadau cyson i berfformio ar deledu, o raglenni adloniant ysgafn Hywel Gwynfryn ac Elinor Jones i raglen blant *Bilidowcar* a roc ieuenctid *Larwm,* roedd y dyddiadur yn llenwi a chadw cydbwysedd rhwng perfformio, teulu a gwaith-bob-dydd yn mynd yn anos. Wrth ymgynghori â ffrindiau fel Myf ac Endaf roedd y neges yn glir – roedd hi bellach *yn* bosibl byw ar berfformio yn y Gymraeg. Ers gadael HTV roedd Endaf wedi sefydlu gyrfa lwyddiannus fel cynhyrchydd a chyfarwyddwr ffilm, gyda chynyrchiadau fel *Shampw* ac *Y Dyn Nath Ddwyn y Dolig* yn dyst i'w allu. Roedd e'n awyddus i weithio gyda Geraint, a chynlluniodd y ddau gyfres o chwe rhaglen yn dwyn y teitl *'Nôl ar y Stryd.* I allu gwneud y gwaith yn iawn byddai'n rhaid i Geraint fod ar gael yn amlach na chyda'r nos neu ar benwythnosau, felly roedd yn rhaid gwneud penderfyniad.

Y person allweddol unwaith eto oedd Pauline. Roedd y ddau wedi trafod y peth droeon ac, i raddau helaeth, roedd y freuddwyd yn eiddo iddi hi hefyd. Unwaith eto, roedd ei chefnogaeth hi'n gadarn ac, wrth lwc, roedd hi wedi cael ei dyrchafu'n *ward sister,* felly gallai Geraint fforddio gostwng ei gyflog yntau ychydig heb i'r teulu ddiodde'n ariannol.

Aeth Endaf ati i baratoi'r gyfres ac aeth Geraint i dorri'r newyddion i Bill Beck yng Nglangwili. Ar Ddydd Gwener, 22 Mawrth 1985, gadawodd Geraint y byd nyrsio; y noson ganlynol roedd e gyda'r band yn Theatr Felinfach – yn gerddor amser-llawn.

NEWID PROFFESIWN

Wrth i Endaf a Geraint weithio'n agos ar baratoadau'r gyfres, dechreuodd Geraint sylweddoli maint y fenter – roedd e nid yn unig wedi rhoi'r gorau i swydd sefydlog ac yntau'n briod a chanddo ddwy ferch fach, ond roedd ei brosiect cynta fel cerddor *freelance* yn rhoi pwysau aruthrol ar ei ysgwyddau. Er bod Endaf yn gynhyrchydd a chyfarwyddwr profiadol iawn, a thîm ardderchog y tu ôl iddo fe, yr enw fyddai'n cael ei gofio wrth gloriannu *'Nôl ar y Stryd*, boed lwyddiant neu fethiant, oedd un Geraint Griffiths.

Y syniad oedd dewis thema ar gyfer pob rhaglen, chwech ohonyn nhw, fel serch, y dyfodol, y gorffennol ac America. Roedd yr olaf yn rhoi cyfle i Geraint ac Endaf dynnu ar eu diddordeb cyffredin yn Americana a hanes Rhyfel Cartre'r wlad yn arbennig. Tynnodd Geraint ar ei brofiadau yn Atlanta rai blynyddoedd ynghynt i lunio cyfres o ganeuon ar y pwnc, gan gynnwys *Baton Rouge, Un Teulu* ac *Atlanta*, a berfformiwyd yn y gyfres fel deuawd gyda Gillian Elisa Thomas. Ymysg y gwesteion eraill roedd Derec Brown, Huw Chiswell, Caryl Parry Jones, Sonia Jones a Neil Williams o'r grŵp Maffia Mr Huws; unwaith eto, Myfyr a'r band oedd yn gyfrifol am y gwaith offerynnol. Yn ogystal â'r caneuon newydd, tynnwyd ar nifer o ganeuon *Madras* ac Eliffant, ac anelwyd at gael amrywiaeth gweledol hefyd, gyda pherfformiadau yn y stiwdio, ar fideo gyda gwisgoedd a cholur trawiadol ac o flaen cynulleidfa fyw – ffilmiwyd cyngerdd gan Geraint a'r Band yn y Majestic, Caernarfon, er mwyn cynnwys elfen wahanol arall, ac roedd realiti a chwys noson o flaen torf yn wrthgyferbyniad perffaith ochr yn ochr â slicrwydd y fideos.

Ar wahan i'r gyngerdd yn y Majestic, doedd dim llawer o

amser i berfformiadau byw gyda'r band, ond ymddangosodd Geraint ddwywaith yn Neuadd Dewi Sant, Caerdydd, yn ystod 1985, y tro cynta gyda Huw Chiswell, Caryl Parry Jones, Maffia Mr Huws a chantorion *Dwylo Dros y Môr* mewn cyngerdd arbennig er budd cronfa Ethiopia adeg Eisteddfod Genedlaethol yr Urdd. Un o uchafbwyntiau'r noson, a ddarlledwyd yn ddiweddarach ar radio a theledu, oedd Chiz yn gorffen ei berfformiad gydag *Y Cwm*. Canodd e'r pennill cynta ac yna clywyd llais gwahanol yn canu wrth i Geraint gamu i'r llwyfan a pherfformio'r ail bennill, cyn i'r ddau orffen y gân fel deuawd, a hynny am y tro cynta. Roedd y peth mor annisgwyl ond eto'n hollol naturiol ac aeth y gynulleidfa'n wallgof – codwyd to Neuadd Dewi Sant o leiaf unwaith y noson honno.

Ym mis Hydref roedd Geraint yn ei ôl ar gyfer noson digon tebyg, os ychydig yn fwy canol-y-ffordd, sef *Teulu Dyn*, gydag Elinor Jones a Hywel Gwynfryn yn cyflwyno Geraint, Dafydd Iwan, Aled Jones, Caryl Parry Jones, Hywel Teifi, Caryl Thomas, Gari Williams, Margaret Williams, Côr Meibion Llanelli, Côr Plant Tonyrefail, Band y Cory a Cherddorfa Ted Boyce. Darlledwyd pigion y noson ar S4C ar 2 Tachwedd. Ar yr wythfed, darlledwyd rhaglen gynta *'Nôl ar y Stryd*.

Yn ogystal â'r cysylltiadau cerddorol, roedd cwlwm tyn wedi'i ffurfio rhwng Geraint a Pauline a Myfyr a Caryl, oedd bellach yn byw gyda'i gilydd (Geraint fyddai eu gwas priodas ym mis Awst 1986) – yn aml byddai Geraint yn lletya gyda nhw yng Nghaerdydd pan fyddai'n gweithio'n hwyr, a chafodd sawl darn o gyngor gwerthfawr am ei broffesiwn newydd. Roedd Caryl wedi gweithio llawer gyda HTV a hi glywodd am gyfres newydd i blant meithrin ac awgrymu y dylai Geraint fynd am glyweliad. Cynhyrchydd a chyfarwyddwr y gyfres oedd Eurof Williams, oedd yn gyfarwydd â Geraint fel canwr roc ond nid fel cyflwynydd. Os oedd amheuaeth cyn y clyweliad, diflannodd honno'n fuan a chafodd Geraint gynnig cyflwyno *Ffalabalam*:

Rwy'n ddiolchgar iawn i Eurof am y cyfle ac am 'yn rhoi i ar ben ffordd gyda *Ffalabalam*. Ddysges i lot fawr am weithio gyda thri chamera ac am berfformio mewn cymeriad ar deledu.

Patrwm y rhaglenni 20 munud oedd cael bachgen a merch i gyd-gyflwyno, a bu Geraint yn rhannu'r sgrin gyda Gwyneth Hopkin gan fwyaf ond hefyd gydag Olwen Medi, Siw Huws, Nia Roberts ac eraill, a nifer o deganau meddal ar ffurf anifeiliaid. Byddai dwy raglen yn cael eu recordio mewn bore, wedi ymarfer y prynhawn cynt, a doedd dim amser i'w wastraffu gan fod angen y criw ffilmio ar gyfer darlledu newyddion HTV amser cinio. O ganlyniad, recordiwyd y cyfan fel un darn ac os oedd yna gamgymeriad roedd yn rhaid cuddio'r ffaith a symud ymlaen. Dyna fyddai'r patrwm wythnosol, gan gychwyn gydag ymarfer brynhawn Mawrth a pharhau hyd at recordiadau ola'r wythnos ar fore Gwener – chwe rhaglen i gyd mewn wythnos, yng Nghaerdydd ran amlaf ond yn achlysurol yn stiwdio HTV yn yr Wyddgrug.

O ganlyniad, roedd yna gyfnodau oddi cartre, oedd yn anodd i deulu mor glòs â'r Griffithsiaid. At ei gilydd gwnaeth pawb ddygymod â'r sefyllfa, gyda Pauline yn gefnogol fel arfer a Bryn a Ray'n helpu gyda'r plant ond, mewn sgwrs ag un o athrawon Ysgol y Dderwen, clywodd Geraint fod Elin yn ymddwyn yn wahanol pan fyddai ei thad oddi cartre:

Nid ei bod hi'n ddrwg nac yn methu'n academaidd, ond roedd hi'n amlwg bod 'na wahaniaeth. Roedd hi'n gweld 'yn ishe i, dyna i gyd, a rwy'n teimlo bach yn euog, ond dyna fel oedd hi. Nid dim ond actorion a chantorion sy'n mynd bant i weithio. Pysgotwyr, gyrwyr lorri, *astronauts*, maen nhw bant o gartre am gyfnodau hir. Ond doedd dim effaith tymor-hir. Gwnaeth Elin yn dda yn yr ysgol, a fydden i wedi'i deimlo fe'n od petaen nhw'n bles mod i bant o gartre, sbo!

Cafodd *Ffalabalam* effaith arall ar y merched – buodd yna dipyn o dynnu coes yn yr ysgol gan fod Dad nawr yn ennill ei fara menyn yn siarad â doliau ar y teledu. Diolch i'r drefn, tynnu coes digon cyfeillgar oedd e, tebyg i'r sylwadau y bu'n rhaid i Geraint ei hunan eu diodde gan rai o'i gyd-rocwyr.

Nid bod *Ffalabalam* wedi disodli'r ochr roc – roedd *Madras* wedi llwyddo'n fasnachol a Sain yn awyddus i wneud record newydd. Fel tamaid i aros pryd, a chan fod ansawdd y recordiadau sain ar gyfer *'Nôl ar y Stryd* gystal, penderfynwyd cyhoeddi record sengl 12 modfedd – y gynta o'i bath i Sain – yn sgil y gyfres ac ar gyfer y Nadolig. Tair cân oedd arni, *Breuddwyd fel Aderyn* – trefniant newydd egnïol o un o ganeuon *M.O.M.* – a dwy gân araf, *Hen Rocar* a *Ffeitar Bach*, wedi'u recordio'r tro hwn yn stiwdio Loco, Caerleon, lle'r oedd Myf wedi recordio tipyn gan gynnwys *Dwylo dros y Môr*.

Wrth i'r Nadolig agosáu daeth cyfle newydd o'r byd darlledu, sef cynnig i gyflwyno nifer o raglenni radio mewn cyfres fer i Radio Cymru o'r enw *Newid Ger*. Roedd y teitl yn chwarae ar eiriau gan mai tri Geraint oedd yn cyflwyno yn eu tro – GG, Geraint Jones o'r grŵp Rocyn a Geraint Davies y cynhyrchydd – a chafodd Geraint gyfle i ddysgu crefft newydd mewn cyfrwng gwahanol, a chael rhannu'i hoff recordiau gyda'r gynulleidfa ar yr un pryd.

Erbyn diwedd y flwyddyn edrychai penderfyniad mis Mawrth yn un call, ac roedd y gofidiau ariannol wedi pylu wrth i'r cynigion am waith barhau'n gyson, gyda *Ffalabalam* yn arbennig yn rhoi sylfaen gysurus; er nad oedd rhaglen unigol mor broffidiol â hynny, roedd recordio cymaint ohonyn nhw gyda'i gilydd yn creu incwm sylweddol. Ac oherwydd yr holl deithio roedd modd cyfiawnhau car newydd – Ford Sierra Ghia – i'r teulu.

Parhau wnaeth y recordiadau ar gyfer y record hir dros aeaf '85–'86, eto yn stiwdio Loco, gyda Myfyr yn cynhyrchu a Nick Smith a Roger Grey'n peiriannu. Roedd nifer o'r caneuon wedi'u cyfansoddi ar gyfer *'Nôl ar y Stryd*, gyda'r ochr gynta'n cynnwys dilyniant o ganeuon – *Baton Rouge*, *Breuddwyd y Milwr*, *Atlanta* ac *Un Teulu Mawr* – yn seiliedig ar hanes Rhyfel Cartre America:

Mae Americana, a'r Rhyfel Cartre'n arbennig, wedi bod o ddiddordeb i fi erioed. Does dim byd tristach na rhyfel cartre – mae'n rhannu teuluoedd, yn rhannu cymunedau ac yn rhannu gwlad. A falle mod i hefyd yn gweld yr hanes yn wahanol i rai achos mod i'n Gymro a bod modd dadlau fod dau deulu yma yng Nghymru – y Cymry Cymraeg a'r Cymry di-Gymraeg – sydd eto yn y pen draw yn perthyn i'r un teulu.

Ar un olwg, roedd y gân gynta, roddodd deitl i'r record – *Rebel* – yn rhan o'r un dilyniant, ond roedd ynddi hefyd elfen gref o hunangofiant, a sylwadau deifiol ar y sefyllfa wleidyddol a chymdeithasol yng Nghymru dan lywodraeth Dorïaidd Margaret Thatcher, yn arbennig yn sgil streic y glowyr a rannodd gymaint o gymunedau a theuluoedd:

> Fe'm ganed i mewn storom
> Fu'n chwythu mas o'r De
> I deulu mawr o weithwyr
> Yn siarad iaith y ne'
> Bu ysgol a bu canu
> A gweddi ar y Sul
> A bois y stryd i'm denu
> Oddi ar y llwybr cul
>
> Llais fy nhad a llais fy mam
> Rhybuddio fi rhag cam
> A minne'n mynnu crwydro
> A hawlio gofyn pam
> Bod cymaint heb ei ateb
> Gan y rhai sydd wrth y llyw
> Sy'n credu bod 'na ddim gwerth
> Yn y bywyd 'da ni'n byw
>
> Mae 'na bobol yn y caeau
> Mae 'na bobol ar y stryd
> Ma' nhw'n disgwyl cyfnewidiad
> Ma' nhw'n ofnus yr un pryd

'Oes 'na rhywbeth ar y gorwel?'
Fe ofynnodd rhywun i mi
'Na, diwrnod arall weli
Mae'r gweddill lan i ti.

O'n nhw'n drychid arna i fel taswn i'n rebel
O'n nhw'n drychid arna i fel taswn i'n rebel
Falle fod hi'n hen bryd ymddwyn fel rebel
Falle ddylen ni gyd ymddwyn fel rebel

Yn ogystal â band arferol Myf a llais Caryl, roedd dwy gantores newydd ar y record – Toni Caroll a Lynda Jenkins, oedd wedi canu gyda Geraint ar sioeau teledu amrywiol. Hefyd yn newydd i'r teulu recordio, fel petai, roedd Seimon Pugh Jones a Steve Hamill, y naill yn ffotograffydd a'r llall yn gynllunydd. Nhw oedd yn gyfrifol am glawr y sengl 12 modfedd, a'r tro hwn aeth Steve ati i baentio llun trawiadol o filwr o fyddin y De yn cerdded yn ddigalon ar draws cae drwy'r eira, a choed gaeafol heb eu dail a hen adfail ei gartre'n gefndir i'r cyfan.

Efallai fod themâu difrifol i'r rhan fwyaf o ganeuon *Rebel*, ond cafwyd tipyn o hwyl wrth eu recordio nhw wrth i Myf a Geraint ddarganfod eu bod nhw cyn waethed â'i gilydd am giglo; daeth y gwaith i stop droeon wrth i un neu'r llall weld rhywbeth hynod o ddigri yn y peth mwyaf diniwed. Bu recordio *Rebel* yn Loco'n brofiad pleserus a hamddenol iawn.

Rywbryd yn ystod y gwanwyn daeth Endaf â chynnig newydd fyddai'n agor drysau newydd. Wedi gwylio Geraint yn mynd trwy'i bethau yn y fideos ar gyfer *'Nôl ar y Stryd*, teimlai fod dawn actor ynddo a phenderfynodd gastio Geraint yn ei ffilm nesa, *Y Cloc*. Ac nid mewn rhan fechan, chwaith, ond yn hytrach fel Dylan, un o'r prif rannau. Babi Endaf oedd *Y Cloc*; fe oedd awdur, cynhyrchydd a chyfarwyddwr ei 'ffantasi gerddorol', stori am ferch ifanc sy'n benderfynol o rwystro gwerthu hen gloc teuluol, gydag elfen o deithio'n ôl mewn amser ac awgrym o arddull ffilm ramantaidd Frank Capra, *It's a*

Wonderful Life. Y ffilm hon fyddai'n cael y fraint a'r pwysau o gael ei darlledu ar S4C yn ystod oriau brig noson y Nadolig.

Er gwaetha'r ymestyn a'r gwelliannau wnaethpwyd i Denver, gyda dwy ferch ar eu prifiant roedd y tŷ bellach yn rhy fach i Geraint a'r teulu ac aed ati i chwilio am gartre newydd. Ar ôl chwilio am sbel dyma ddod o hyd i fyngalo wedi'i hanner adeiladu ar gopa Ael-y-Bryn yn ardal Tanerdy ar gyrion Caerfyrddin. Er nad oedd y to wedi'i godi, roedd maint yr ystafell fyw a'r olygfa fendigedig ar draws y dyffryn yn ddigon i berswadio Geraint a Pauline mai dyma'r lle (efallai hefyd fod yna arwyddocâd yn y ffaith mai enw'r datblygwr oedd Ryan). Rhoddwyd Denver ar werth a symudodd y teulu o Heol y Prior ym mis Mehefin 1986, gan fedyddio'r tŷ newydd, ar ôl ffarm Llanddewi Brefi, yn Waunuchaf.

Gyda Bryn a Ray gerllaw, roedd un ochr o'r teulu wedi'i chrynhoi yng Nghaerfyrddin, a chadwyd cysylltiad clòs â'r ochr Wyddelig hefyd, gydag ymweliadau cyson â rhieni Pauline yn Llundain a theithiau rheolaidd i Iwerddon, lle'r oedd Geraint wedi teimlo'n gartrefol ers yr ymweliad cynta hwnnw yn 1976:

> Bryd hynny, roedd Iwerddon yn teimlo fel gwlad oedd ymhell ar ei hôl hi o'i chymharu â Chymru. Ychydig o bobol oedd yn berchen ar deledu ar wahân i dafarnwyr, oedd yn ymddwyn fel sensoriaid, yn penderfynu pa raglenni oedd yn addas i'w gwylio. Prin oedd y ceir ar hyd ffyrdd gwledig, a'r rheini'n hen a rhydlyd gan amlaf. Roedd yr arwyddion ffyrdd, yr adeiladau a'r tirwedd yn ddigon gwahanol i chi wybod eich bod chi mewn gwlad arall. Ond roedd y bobol yn gynnes, yn gyfeillgar ac yn groesawgar – â diddordeb ynoch chi, yn awyddus i glywed eich stori chi ac i adrodd eu stori nhw.

Dysgodd Geraint sut i dorri mawn a smygu tybaco Condor, yfed John Power's Irish Whiskey a gwerthfawrogi Guinness go-iawn:

> Ro'n i'n smygwr pib ac yn yfwr Guinness cyn hynny, ond dim ond amatur o'n i!

Hyd yn oed wedi i ewythr Pauline, Uncle John, etifeddu Kilsaran, ffarm teulu mam Pauline yn swydd Cavan, ar ddechrau'r wythdegau, doedd dim trydan na dŵr tap yno. Yn hytrach dôi'r golau o lampau olew a chanhwyllau a cheid gwres o dân mawn nad oedd byth yn diffodd, boed haf neu aeaf. Roedd y ffermdy ychydig yn fwy na'r cyffredin, yn dŷ *ceilidh* lle byddai'r partïon lleol yn cael eu cynnal; yn ôl chwedl leol, roedd crochanau wedi'u gosod dan y lloriau cerrig er mwyn i sŵn traed y dawnswyr atseinio ar hyd y bryniau cyfagos. Byddai Elin a Lisa wrth eu bodd yn chwarae yn yr awyr agored, gyda phlant ffermydd cyfagos, yn casglu dŵr o'r ffynnon a hel y gwartheg i'w godro, a Geraint yn teimlo'u bod nhw'n cael blas, mewn ffordd wahanol, ar ei brofiadau cynnar e ar ffarm Waunuchaf. Doedd hi ddim yn beth anghyffredin teithio drosodd hyd at bedair neu bum gwaith y flwyddyn, ond wrth i'r merched dyfu aeth lle i letya pawb yn y ffermdy'n brin. Doedd dim amdani ond i Geraint yrru i Ddulyn i logi carafán a'i thynnu hi i Kilsaran. Sylweddolodd e'n fuan fod angen car cryfach i dynnu carafán a dyma brynu Volvo *estate* 2.3 litr:

> *Minivan* diwedd yr ugeinfed ganrif. Ro'n i'n caru'r car 'na – galle fe gario saith yn gyfforddus, roedd e'n bwrpasol, yn gyflym, yn ddibynadwy ac wedi'i adeiladu i bara. Gadwes i fe am ddwy flynedd ar bymtheg – a wedyn prynu Volvo arall!

Rhoddodd cryfder y Volvo gyfle arall i Geraint. Un o'i rwystredigaethau fel pysgotwr oedd diffyg cwch. Yn Dyfed Marine, Aberteifi, daeth o hyd i gwch 12 troedfedd a'i brynu. Wedi iddo'i dynnu y tu ôl i'r Volvo draw i Iwerddon cafodd oriau lawer o fwynhad yn pysgota ar lynnoedd Derry a Lisney.

Yn syth ar ôl *Y Cloc*, cafodd Geraint gynnig rhan flaenllaw arall, y tro hwn mewn ffilm gerddorol fer o'r enw *Ffair Roc*, wedi'i hysgrifennu a'i chyfarwyddo gan Richard Pawelko, gyda chaneuon gan Michael Povey a Dafydd Pierce. Chwedl fodern oedd hon am Sbardun (sef Geraint) a Stavros (Phyl Harries) yn agor caffi mewn ardal oedd yn cael ei hystyried ar gyfer ailddatblygu, a'r frwydr rhyngddyn nhw a'r datblygwr drwg (rhan a chwaraewyd gan Tom Richmond, neu Dafydd Dafis fel y mae'n cael ei adnabod nawr). Cafwyd diweddglo hapus a pherfformiadau graenus. Yng ngeiriau *Sbec*:

> Bydd hyd yn oed Nain yn dawnsio i'r caneuon, yn enwedig yn ystod uchafbwynt y ffilm – Geraint Griffiths yn rhoi perfformiad lliwgar, cyffrous ar faes ffair gyda'r nos.

Roedd Geraint bellach yn cael ei gydnabod fel actor yn ogystal â cherddor a chyflwynydd, ac yn sgil *Y Cloc* a *Ffair Roc* cafodd ran tra gwahanol ar ddiwedd 1986. Hanes yr emynyddes Ann Griffiths oedd *Dail ar Bren*, gyda Morfudd Hughes yn portreadu Ann a Geraint fel ei chariad, Sion Edwart yr anterliwtiwr:

> Roedd hi'n braf bod yn rhan o *Dail ar Bren*: cyfle i wisgo dillad *funky* o'r ddeunawfed ganrif, cael dangos 'yn hunan ar gefen ceffyl, a neud ychydig o gusanu. Roedd y ddrama wedi'i gosod yn Sir Drefaldwyn, wrth gwrs, gyda'i hacen hyfryd o unigryw – ardal ro'n i'n dod i'w nabod am y tro cynta – ond gan fod 'y nghymeriad i'n actor teithiol allai fod wedi dod o unman, ges i ddefnyddio'n acen naturiol. Profiad gwych, a ges i'n ysbrydoli i gyfansoddi nifer o ganeuon yn y cyfnod yna.

Yn Ysgol y Dderwen roedd Elin a Lisa'n ymestyn eu gallu cerddorol hwythau. Yn fuan wedi i Geraint adael y byd nyrsio dechreuodd y ddwy gael gwersi piano, gyda dwy athrawes wahanol – cafodd Elin y profiad annifyr o gael gwersi yn hwyr y prynhawn, a'i hathrawes yn llythrennol yn bwyta'i the tra bod Elin yn mynd drwy'i phethau. Aeth y ddwy ymlaen i basio'r arholiadau arferol, theori ac ymarferol, heb i'w rhieni orfod pwyso llawer arnyn nhw i ymarfer, ac, yn eu tro, cynigiai

Geraint a Pauline bob cefnogaeth ac anogaeth os oedd y naill neu'r llall am fentro ar rywbeth. Bu bale'n ddiddordeb arall i'r ddwy am gyfnod, gan gynnwys perfformiad yn un o gyngherddau Nadolig yr ysgol. Daeth cefnogaeth bellach o du'r ysgol, dan brifathrawiaeth Berwyn Jenkins, dyn oedd yn credu'n gryf mewn gweithgareddau cerddorol y tu allan i'r dosbarth, fel corau a cherddorfeydd:

Dangosodd Elin ddawn ar y ffliwt ac mae hi'n honni 'i bod hi'n dal i'w whare'n achlysurol a bellach mae hi wedi cymryd at y gitâr; chafodd Lisa mo'r un hwyl ar y ffidil, er gwaetha'i thras gwyddelig, ond mae gan y ddwy eu harddull eu hunain ar y piano, sy'n arbennig. Cafodd ffidil Lisa gartre parhaol yn y *case*, dan y gwely.

O Ararat i Donegal

Dair blynedd ar ôl i'r *Cwm* roi cymaint o hwb iddo fe fel artist unigol, cafodd Geraint wahoddiad yn ôl i ganu un o ganeuon *Cân i Gymru '87*, sef *Gai Weld Yfory* gan Gwyneth Vaughan, ond aeth pethau ddim cystal y tro hwn ac ni fu trip i Iwerddon.

Tro Anti Mat oedd hi i symud nawr. Roedd Tan-y-Bryn, clamp o dŷ yn Aberaeron, wedi mynd yn drech na hi a hithau ar ei phen ei hun, a chan ei bod wedi ymddeol ers rhai blynyddoedd roedd y syniad o symud yn nes at yr unig deulu agos oedd ar ôl ganddi yn apelio. Treuliodd Geraint oriau lawer gyda hi yn chwilio am dŷ addas yng Nghaerfyrddin cyn clywed bod gan esgobaeth Sant Pedr res o dai teras modern o'r enw Ger y Llan yn agos at ganol y dref, wedi'u clustnodi'n wreiddiol ar gyfer offeiriaid wedi ymddeol neu'u gweddwon. Er nad oedd Anti Mat yn ffitio'r disgrifiad yn union, roedd hi wedi bod yn eglwyswraig selog a gweithgar gydol ei hoes ac yn adnabod Archesgob Cymru, George Noakes, yn bersonol, felly cynigiwyd un o'r tai iddi.

Gan fod Ger y Llan dipyn yn llai na Tan-y-Bryn, doedd dim lle i bob celficyn, a derbyniodd Geraint a'r teulu rodd o ddresel Gymreig o bren derw golau hyfryd ganddi, dresel oedd wedi'i llunio gan saer pentref Llanddewi Brefi yn 1909 fel anrheg priodas i Mam-gu a Tad-cu Waunuchaf; nawr, câi gartre mewn Waunuchaf arall. Rhodd arall gafodd ei chynnig, a'i gwrthod, oedd cadair goch i goffáu arwisgiad y Tywysog Charles yn Dywysog Cymru yn 1969. Yn ôl Anti Mat, oedd yn dipyn o dynnwr coes, anrheg i Geraint oedd y gadair yn y lle cynta, ond o'i adnabod e, go brin fod Anti Mat o ddifri'n meddwl bod gan ei nai gydymdeimlad o gwbwl ag unrhyw frenhiniaeth. Cafodd y gadair aros yng nghyntedd y tŷ newydd. Setlodd Anti Mat i'w bywyd newydd yn ddigon rhwydd, wrth ei bodd yn cael bod mor agos at Ray a Bryn a Geraint a'r teulu, ac yn aelod brwd yn Eglwys Sant Ioan.

Cafodd Geraint ei gastio mewn rhan ddramatig arall yn un o benodau'r gyfres deledu *Dihirod Dyfed*, oedd wedi'i seilio ar gyfrol Bethan Phillips am lofruddiaethau nodedig yn y gorllewin yn y bedwaredd ganrif ar bymtheg. Yn y bennod am Wil Cefn Coch adroddwyd hanes Wil a'i gyfeillion yn dod wyneb yn wyneb â chipar yr Arglwydd Lisburn, Joseph Butler, mewn coedwig ger Trawscoed ar noson dywyll yn 1868. Saethwyd Joseph a bu hela mawr am y drwgweithredwyr. Yn y ddrama, Geraint oedd yn chwarae rhan y gwneuthurwr clociau, Tom Joseph, roddodd help llaw i Wil ddianc i America.

Yn America'r ugeinfed ganrif y treuliodd y Griffithsiaid wyliau haf 1987, yn Florida, lle newidiwyd ffordd o fyw. Ers geni Elin roedd y teulu wedi bod yn rhannol lysieuol ac wedi magu'r grefft o baratoi prydau diddorol ac amrywiol, ond tyfodd elfen o rwystredigaeth yn Florida wrth iddyn nhw fethu'n lân â chael hyd i unrhyw beth mwy swmpus na ffrwyth neu salad mewn tai bwyta, yn enwedig yn y parciau difyrrwch fel Disneyworld. Un diwrnod aeth pethau'n drech na Geraint. Ar ôl chwilio a chwilio, dychwelodd at y teulu gyda llond bag o *veggie burgers*, oedd mewn gwirionedd yn ddim byd tebyg – *burgers* cyffredin oedd yr unig ddewis oedd ar gael. Edrychodd y merched yn amheus i ddechrau, ond sicrhaodd Geraint y ddwy mai *veggie burgers* oedden nhw. Gydag elfen o amheuaeth o hyd, cnôdd Elin a Lisa y bwyd . . . eiliad o oedi . . . Geraint a Pauline yn edrych ar ei gilydd yn ofidus . . . ac yna llowciodd y ddwy eu *burgers* yn awchus. Wedyn daeth hi'n amser cyffesu'r gwir, ac roedd yr olwg 'ry'n ni'n gwbod, Dad' ar wynebau Elin a Lisa'n bictiwr. Er iddyn nhw gadw ar lwybr bwyta'n iach, dyna'r diwrnod y peidiodd y Griffithsiaid â bod yn llysieuwyr.

Ar ddiwedd 1987 dychwelodd Geraint i'r stiwdio recordio, yn gynta i recordio cân Joseff, ei gyfraniad e i gasét o garolau newydd, *Ar Noson Fel Heno*, i Sain yn Llandwrog, ac yna, ym mis Rhagfyr, cychwynnwyd ar y gwaith o recordio *Ararat*, trydedd record unigol Geraint, eto yn stiwdio Loco, gyda Myf a'r cerddorion arferol. Roedd nifer o'r caneuon yn deillio o gyfnod *Dail ar Bren*, ac er mai dim ond un gân oedd yn ymwneud â hanes Ann Griffiths yn benodol, sef *Ail-ddechre*, roedd geirfa Feiblaidd yn britho teitlau fel *Cadw'r Ffydd*, *Cred Ti Fi* ac *Ararat* ei hun, oedd yn adleisio ieithwedd a mydr emyn:

Chwythu fu y gwyntoedd
Erioed dros dir y byw
O Eden bell yn ddi-baid
I'r coed yn Nhroed y Rhiw
I sgrechian yn y brigau
I gorddi dŵr y don
Fe'n chwythodd ni drwy amser
Ar greigiau'r ynys hon

Fe'n gwelwyd ni yn dawnsio
Ar fyrddau'r llongau hud
Fe'n clywyd ni yn canu
Â'n cefnau at y byd
Ac ar ôl y llongddrylliad
Wrth guro'r creigiau maith
Glynwn wrth y sbwriel
A olchwyd ar y traeth

Mae'r gwynt yn chwythu storom
I dynnu'r coed o'r tir
Gwelir eu dail yn casglu
Yn bentwr wrth y mur
Ac yn y dail mae pluen wen
O aden y golomen
Fu'n hedfan yn ddigartre
I Ararat o Eden

Ar goll yn y tywyllwch
Ar goll yng nghell ein byd
Yn disgwyl am y glanio
Ar Ararat o hyd

Nodwedd arall ar ganeuon *Ararat* oedd diddordeb cynyddol Geraint mewn canu gwerin o Iwerddon. Roedd dwy gân yn arbennig, *Y Dyffryn* a *Mynd 'Nôl*, yn galw am driniaeth wahanol i'r roc arferol, ac er mwyn creu'r naws Wyddelig oedd ganddo fe mewn golwg penderfynodd Geraint anelu tua'r brig a gofyn i un o brif gerddorion Iwerddon, Davy Spillane, ychwanegu'i dinc unigryw ei hun i'r ddwy gân. Roedd, a mae, Davy'n cael ei gydnabod yn un o'r goreuon yn y byd ar y pibau penelin *uillean*, a bu'n aelod o'r grŵp hynod Moving Hearts; un alwad ffôn gan Geraint gymerodd hi i'w berswadio i deithio i Gymru i recordio. Yn anffodus, doedd cwmni Sain ddim yn rhannu brwdfrydedd Geraint ynglŷn â'r syniad, ar sail y gost yn fwy na dim, felly bu'n rhaid i Geraint dalu am gyfraniad a chostau teithio Davy o'i boced ei hun:

> Ac i wneud pethau'n waeth, tales i Davy am ei docyn mewn punnoedd, heb ystyried ei fod e wedi talu mewn *punts* Gwyddelig, oedd yn werth tua thri chwarter ein punt ni ar y pryd, felly dales i tua chwarter yn ormod. Roedd Davy'n foi mor ffein a diymhongar, dwi ddim yn credu'i fod e wedi sylwi, ac, ar ôl sylweddoli, do'n i ddim yn licio dweud dim. Mae e'n gerddor gwych, ond gymerodd hi sbel inni'i gael e i ddeall ble'r oedd y bylchau cerddorol ar gyfer ei gyfraniad e. Yn y diwedd ro'n i mewn gydag e'n arwain a phwyntio bys pan oedd e i fod i ddod mewn. Ond roedd beth chwaraeodd e'n wych.

Ac ar y caneuon hyn, Geraint gymerodd yr awenau cynhyrchu, wrth i Myf gyfaddef nad oedd e'n siŵr o'i bethau yn y cyd-destun gwerin Gwyddelig:

> Roedd gan Geraint ddiddordeb mewn cerddoriaeth werin ac yn dechrau troi mwy i'r cyfeiriad 'ma. I fi, roedd hynny'n golygu bod y byd roc a phop Cymraeg yn cael ei amddifadu, gan nad o'n i'n clywed Geraint ar ei orau – yn canu roc! Hyd heddi mae e'n anghytuno 'da fi taw dyna beth mae e'n neud orau.

Am ryw reswm bu'r broses o recordio *Ararat* yn arafach o lawer na chynt: yn ôl y nodiadau y tu fewn i'r record, chwblhawyd mo'r gwaith tan Hydref 1988, flwyddyn bron ers cychwyn.

Roedd ail hanner yr wythdegau'n rhywfaint o oes aur i gwisiau a gêmau panel ar S4C, ac yn ei sgil daeth cyfle newydd arall i Geraint. Rhaglen gan HTV oedd *Stumiau*, gyda Gari Williams yn y gadair a dau dîm o dri, bechgyn a merched, yn cystadlu am wobrau sylweddol trwy gyfleu atebion i'w cyd-banelwyr heb ddefnyddio geiriau. Roedd capten sefydlog a dau aelod o'r cyhoedd ymhob tîm – Nia Ceidiog oedd capten y merched yn wreiddiol, cyn i Gillian Elisa gymryd yr awenau mewn cyfresi diweddarach, a Geraint oedd capten y bechgyn:

> Ro'n ni'n recordio o flaen cynulleidfa gyda'r nos yn HTV, a gwneud tair rhaglen bob nos. Tipyn o waith i bawb, gan gynnwys y gynulleidfa, ond lot fawr o hwyl, yn enwedig o gyfeiriad Gari – ac Idris Charles hefyd, gymerodd drosodd yn nes ymlaen ar ôl marwolaeth drist Gari.

Cwis gwahanol iawn oedd *Prif Bencampwriaeth Uchelgeisiol Fyd-Eang Cerddoriaeth Gyfoes Gymreig a Rhyngwladol 1954–1987 a Chaneuon Eraill*, o stabl cwmni Dime Goch. Fel *Stumiau*, roedd y teitl yn dweud y cyfan ac yn ennyn sylw, ond roedd yn amhosibl ei gofio! Newidiwyd i enw llawer mwy cryno ar gyfer y cyfresi dilynol, sef *Cwis Pop*. Y tro hwn, Geraint oedd yn y gadair a Derec Brown a Gwenno Dafydd (Rhiannon Tomos yn y gyfres olaf) yn gapteiniaid, gyda dau gyd-banelwr o fyd canu pop Cymraeg dan eu gofal. Câi'r cyfan ei recordio ym Mhorthmadog.

Darlledwyd y ddau gwis am nifer o flynyddoedd gan greu proffil uchel iawn i Geraint. Fel y cofnododd y cylchgrawn *Sbec* yn wythnos gynta Ebrill 1989:

> Mae hi'n wythnos brysur i ffans Geraint Griffiths. Nos Fercher, bydd yn gapten ar un o'r timau yn *Stumiau* ac yn ceisio dyfalu'r atebion. Ond erbyn nos Iau, gobeithio bydd

yr atebion i gyd ar flaenau'i fysedd, gan mai ef sydd yn holi'r cwestiynau yn y *Cwis Pop.*

Yn ogystal â pharhad *Ffalabalam*, *Stumiau* a'r *Cwis Pop*, daeth nifer o gynigion newydd i weithio ar raglenni teledu. Castiwyd Geraint i actio fel datblygwr tir anonest o'r enw Tomlynn, dyn sy'n wynebu'i ddiwedd mewn ffrwydrad car erchyll, yn y ffilm *Mwg Glas Lleuad Oer*, ffilm gafodd ei seilio ar y gyfres dditectif boblogaidd *Bowen a'i Bartner*. Trwy gyd-ddigwyddiad nodweddiadol Gymreig, y cynhyrchydd a'r cyfarwyddwr oedd Peter Edwards, a fu, flynyddoedd ynghynt, yn gynhyrchydd y gyfres adloniant *Twndish*, roddodd y llwyfan cynta i Injaroc.

Daeth mis Medi 1988 â blwyddyn ysgol newydd a newid byd i Elin wrth iddi symud i'r ysgol 'fawr', sef Ysgol Bro Myrddin. Ymhen dwy flynedd byddai Lisa'n ymuno â hi, a'r ddwy'n dangos gallu academaidd oedd yn awgrymu bod coleg yn rhan o'u dyfodol nhw. Yn hynny o beth, roedd Pauline yn esiampl iddyn nhw, wrth iddi hi ailgydio ym myd addysg a chychwyn ar gwrs diploma mewn nyrsio. Pan oedd y merched yn eu harddegau cynnar, ynghanol un o'r sgyrsiau teuluol niferus am y byd a'i bethau, nododd Geraint â'i dafod yn ei foch fod gan Elin a Lisa ddewis ynglŷn â pha un o gostau mawr bywyd y byddai eu rhieni'n fodlon ei ariannu – addysg, car ynteu briodas. Er syndod, ymateb y ddwy oedd 'addysg'. Nid fod cyfnod Bro Myrddin wedi bod yn or-academaidd; roedd yn gyfnod o gyfeillgarwch a diddordebau amrywiol, o berfformio gyda chôr yr ysgol a Chwmni Opera Ieuenctid Caerfyrddin mewn sioeau fel *Oklahoma* a *The Sound of Music*. Ar wahân i'r cyfnodau o salwch plentyndod arferol, tyfodd Elin a Lisa yn naturiol a didrafferth, yn iach, yn hapus ac yn destun balchder i'w rhieni.

Yn sgil llwyddiant y *Cwis Pop*, gofynnodd Dime Goch i Geraint gyflwyno cyfres fer o dan y teitl *Gwlad Gwlad*, oedd yn cynnwys chwe rhaglen arferol a phennod Nadolig arbennig lle gwelwyd Geraint yn cyflwyno, ac yn canu, wedi'i wisgo fel

Siôn Corn. Yn ôl y sôn, doedd dim angen dwyn llawer o berswâd arno fe!

Cyhoeddwyd *Ararat* mewn pryd ar gyfer Nadolig 1988, a'i rhyddhau mewn marchnad oedd yn newid yn gyflym. Ers canol y saithdegau cyhoeddid y rhan fwyaf o gynnyrch Sain ar ffurf record a chasét; bellach, gyda dyfodiad y CD, a gwerthiant canu roc yn lleihau'n gyffredinol, dechreuodd cyfnod o gyhoeddi ar gasét yn unig am rai blynyddoedd cyn i'r CD afael yn ddigonol. *Ararat* oedd un o'r recordiau olaf i'w chyhoeddi dan yr hen drefn, un o'r olaf ar feinyl du. Cafodd dderbyniad da gan wybodusion y wasg Gymraeg; 'record o safon gan ganwr a chyfansoddwr aeddfed iawn' oedd barn Huw Evans yn y *Carmarthen Citizen*. Aeth ymlaen i fanylu: 'Yn syth o nodau agoriadol *Ararat* ceir y teimlad fod rhywbeth cynhyrfus ar y gweill. Yn fuan llithrir i fewn i steil nodweddiadol Geraint, steil sydd bellach wedi'i ddatblygu a'i aeddfedu.' Yn *Golwg*, roedd Sian Wheway yn gweld elfen o ailadrodd, ond yn canmol serch hynny:

> Os yw'r casét yma yn union yr hyn y byddai rhywun yn ei ddisgwyl gan Geraint Griffiths a'r band arbennig yma, dyw hynny'n amharu dim ar fy mwynhad i'n bersonol . . . efallai mai *more of the same*, chwedl y Sais, fyddai sylw llawer un ond, os yw *more* yn golygu canu da, cerddorion dawnus, cynhyrchu di-fai a chasét difyr iawn – yna, pam lai?

Yn gynnar yn 1989 dechreuodd y gwaith o ffilmio *Derfydd Aur*, drama wedi'i seilio ar derfysg Rebecca. Chwaraewyd y prif rannau gan Beth Robert a Dafydd Hywel, oedd yn cymryd rhan un o arweinyddion y terfysgwyr. Geraint oedd ei ddirprwy, Ned Pugh. Ffilmiwyd yng Nghymru ac Awstralia, ond yn anffodus i Geraint chafodd Ned Pugh mo'i ddal gan yr awdurdodau a'i alltudio, felly doedd dim trip i Awstralia iddo fe. Ond cafwyd digon o gyffro yng Nghymru – ffilmiwyd golygfeydd o ferched Beca wrth eu gwaith yn ardal Sain Ffagan a golygai hynny farchogaeth mewn dillad menywod liw nos.

Doedd Geraint a cheffylau ddim yn ddieithr i'w gilydd – cafodd wersi ar gyfer *'Nôl ar y Stryd* a bu'n rhaid marchogaeth yn *Dail ar Bren* – ond roedd ychydig yn betrusgar a mynnodd fod cymal yn ei gytundeb ar gyfer *Derfydd Aur* nad oedd disgwyl iddo fe garlamu i lawr unrhyw lechwedd. Gwyddai'n iawn mai dyna pryd y mae ceffyl debycaf o faglu. Thawelwyd mo'i ofnau wrth iddo gwrdd â'r gaseg oedd wedi'i dewis ar ei gyfer, clamp o anifail o'r enw Bergen, ac mae'n deg dweud na chlosiodd y ddau at ei gilydd yn ystod y cynhyrchiad chwaith.

Wrth ymarfer un olygfa penderfynodd Bergen mai hi, nid Geraint, fyddai'n penderfynu pryd i stopio – a chan godi stêm, i ffwrdd â hi, er gwaethaf ymdrechion ei marchog. Yn sydyn, neidiodd *handler* o'i blaen a safodd Bergen yn ufudd ond sydyn o stond . . . ac aeth Geraint dros ei phen a hongian yn ddigon di-urddas o gwmpas ei gwddf. Wnaeth pethau ddim gwella mewn golygfeydd eraill ac erbyn hyn roedd Geraint yn gyndyn o wneud un o olygfeydd mwyaf dramatig y ffilm, oedd yn golygu carlamu yn y tywyllwch dros wal gyda rhyw bymtheg arall. Fe gymerodd hi dipyn o berswâd i'w gael i fentro – y cyngor gafodd e oedd i ddal yn dynn ym mwng Bergen a gobeithio am y gorau! Fel y digwyddodd hi, aeth popeth yn iawn a Bergen yn gwneud yn union yr hyn yr oedd wedi'i hyfforddi i'w wneud, ond roedd Geraint yn ddigon hapus wrth ffarwelio â hi.

Daeth colled anferth i ran Geraint ym mis Ebrill 1989:

> Ro'n i wedi bod yn recordio *Ffalabalam* yng Nghaerdydd, ac wrth fynd heibio Ger y Llan weles i hers yn gadael a Pauline yn gadael y tŷ. Fe welodd hi fi a siglo'i phen. Ro'n i'n gwybod bryd hynny fod Anti Mat wedi mynd. Roedd hi'n arfer cael ei swper yn gwylio *Cwis Pop*, ac mae 'na le i gredu'i bod hi wedi marw wrth 'y ngwylio i ar y teledu. Mae'r syniad 'na'n codi pob math o deimladau cymysg.

Roedd Anti Mat wedi dioddef o anhwylder ar y galon oedd yn fwy difrifol nag yr oedd neb wedi ei sylweddoli. Cafodd angladd fawr oedd yn dangos y parch enfawr tuag ati, yn enwedig ymhlith arweinwyr eglwysig – ymhlith y galarwyr roedd Deon Tyddewi, Bertie Lewis, a'r Canon David Lloyd oedd hefyd yn gefnder iddi, a derbyniwyd llythyr o gydymdeimlad ac ymddiheuriad am fethu â bod yno gan Archesgob Cymru, George Noakes, oedd ar ymweliad â De Affrica ar y pryd.

Aethpwyd ati ymhen ychydig i glirio'r tŷ. Dewisodd Ray ambell drysor bychan i gofio'i chwaer a chafodd Geraint *carriage clock*, ond gwerthwyd y rhan fwyaf o'r celfi, oedd ddim ond wedi'u prynu dwy flynedd ynghynt pan symudodd Anti Mat i Gaerfyrddin. Ond beth oedd i ddigwydd i gadair goch yr Arwisgo? Cafodd Geraint air â'r ficer, Mr Goldstone, gan gynnig cyflwyno'r gadair i'r eglwys. Derbyniodd yntau'r cynnig yn llawen, a bellach mae'r gadair, â phlac arni yn enw Miss Martha Jane Jones, yn sefyll yn Eglwys Sant Ioan, Caerfyrddin.

Roedd marwolaeth Anti Mat yn ergyd drom i Geraint. Er iddo fe gael profedigaeth yn y gorffennol pan fu farw Anti Mary Ann, roedd hyn yn wahanol. I Geraint, roedd Anti Mat wedi bod yn fwy na modryb erioed, a'r berthynas wedi tyfu ac aeddfedu dros y blynyddoedd nes ei fod e'n ei hystyried hi'n 'hanner mam a hanner chwaer'. Arhosodd cysgod y golled dros Geraint, a'i ganeuon, am fisoedd lawer.

Ond roedd gwaith yn dal i alw. Yn fuan wedi marw Anti Mat dechreuodd ymarferion ar gyfer y ddrama gerdd *Llosgwr*, neu *Man of Fire*, i gwmni Whare Teg. Sioe lwyfan oedd *Llosgwr* oedd i deithio Cymru, yn Gymraeg yn gynta ac yna yn Saesneg, rhwng diwedd Mai a dechrau Awst, yn olrhain hanes y gŵr hynod hwnnw, Dr William Price – meddyg, siartydd, cenedlaetholwr, merchetwr ac ecsentrig. Enwodd William Price ei fab cynta, fu farw'n blentyn bach, yn Iesu Grist Mab y Dyn, ac yn hytrach na'i gladdu ceisiodd amlosgi ei gorff, gan wrthdaro â'r awdurdodau o'r herwydd. Yr achos llys a ddilynodd fu'n gyfrifol am baratoi'r ffordd ar gyfer amlosgi cyfreithiol. Olwen Rees a Johnny Tudor ysgrifennodd y sgript, a Dafydd Hywel oedd yn portreadu Dr Price. Mewn cast oedd hefyd yn cynnwys Huw Ceredig, Llio Millward, Dewi Rhys a Dafydd Emyr, Geraint oedd John Frost, arweinydd y Siartwyr.

Teithiwyd tipyn y tu fas i Gymru yn 1989 hefyd wrth i Geraint a Pauline brynu moto-beic BMW, peiriant delfrydol ar gyfer penwythnosau yn Ffrainc ac Iwerddon:

> *K100LT touring machine* oedd e, gyda *panniers, top box* a radio hyd yn oed. Mae 'da fi gof arbennig ohono i a Pauline yn gwneud saith deg milltir yr awr ar hyd yr M4 ar ein ffordd i Normandi yn gwrando ar – na, nid *Born to be Wild* gan Steppenwolf, ond yr Archers ar Radio 4!

Roedd mis Hydref 1989 yn ddiwedd cyfnod wrth i *Ffalabalam* ddod i ben, ond doedd plant Cymru ddim i'w hamddifadu o weld Geraint. Am yr ail waith, aeth ar daith gyda chwmni Whare Teg, y tro hwn mewn pantomeim, *Robin Sion ap Croeso* gan Caryl Parry Jones a Hywel Gwynfryn. Unwaith eto, roedd Dafydd Hywel yn rhan allweddol o'r cynhyrchiad, y tro hwn fel cyfarwyddwr y sioe, ac roedd cast cryf gan gynnwys Geraint fel dyn drwg y cynhyrchiad, y Barwn Barfddu. Cafwyd ymateb ardderchog gan blant ymhobman a chan adolygwyr gan gynnwys y *Carmarthen Journal*:

> Roedd y sioe slic, llawn hiwmor yn gerbyd perffaith i ddangos doniau amrywiol y cast. Hoffwn i ddim canmol un aelod o'r cast yn fwy na'r lleill. Felly Dafydd Emyr, Eleri Jones, John Glyn, Owain Gwilym, y Brodyr Gregory, Geraint Griffiths (sy'n byw yng Nghaerfyrddin) a Mari Gwilym, 'bodiau i fyny' i chi gyd.

Un o'r perfformiadau mwyaf cofiadwy oedd hwnnw ym Medwas, gyda mil o blant yn sgrechian yn hollol afreolus wrth i gwmni Teliesyn wneud eu gorau i recordio'r panto ar gyfer darllediad Nadolig ar S4C. Er cymaint y wefr, dyma unig banto Geraint, a hynny o ddewis:

Mae'n amser gwael i fod bant o'r teulu adeg y Nadolig ac yn slog galed wrth deithio rownd y wlad ac aros mewn gwestai rhad.

Wedi diflaniad *Ffalabalam* o'r sgrin fach daeth cynnig arall o gyfeiriad HTV, sef y cyfle i gyflwyno cyfres newydd i blant bach o'r enw *Dicwm Dacwm*. Chwaraeai Geraint ran teithiwr o'r ddeunawfed ganrif oedd yn adrodd a chanu hwiangerddi cyfarwydd gyda chymorth pâr o bypedau mawr, wedi'u lleisio gan Richard Elfyn ac Olwen Rees.

Cynhyrchiad cwbwl wahanol oedd *Nel* gan Meic Povey, wedi'i gyfarwyddo gan Richard Lewis ar gyfer cwmni Opus 30. Drama oedd hon am hen ferch oedd wedi byw ei holl fywyd, a hwnnw'n fywyd caled ac unig, ar y fferm deuluol yn Eifionydd. Gyda chynlluniau ar y gweill i werthu'r fferm, mae aelodau'r teulu'n dod at ei gilydd, gan gynnwys nith Nel a'i gŵr, sef rhan Geraint. Cafodd y ffilm ymateb arbennig a chlod wrth i BAFTA Cymru wobrwyo Meic Povey am y sgript a Beryl Williams am ei phortread o Nel a chyhoeddi mai'r ffilm ei hun oedd prif ffilm y flwyddyn.

Daeth hi'n amser ymestyn y tŷ unwaith eto. Ers symud i Waunuchaf roedd Elin a Lisa wedi mwynhau rhannu ystafell, a'r drydedd ystafell wely'n swyddfa a stiwdio fechan i Geraint. Dros y blynyddoedd, ychwanegodd at ei offer recordio i gynnwys recordydd tâp 8-trac a chymysgydd sain Soundtracs, ynghyd ag allweddell Yamaha a pheiriant effeithiau. Yma y paratowyd caneuon *Ararat* cyn mynd i'r stiwdio, a bellach roedd syniadau newydd yn cael eu datblygu'n ganeuon yn gyson yno. Ond bellach roedd y merched wedi cyrraedd cyfnod lle'r o'n nhw angen ystafelloedd ar wahân, felly codwyd estyniad i'r tŷ oedd yn cynnwys ystafell fechan ar gyfer offer recordio Geraint.

Newidiodd Pauline gyfeiriad ei gyrfa yn 1991, gan adael y Gwasanaeth Iechyd ac elwa ar ei chymwysterau addysgol newydd – wedi ennill ei diploma mewn nyrsio yn 1990 roedd wrthi'n dilyn cwrs gradd, a byddai'n graddio yn 1992 – wrth dderbyn swydd ddarlithio gydag Ysgol Gwyddor Iechyd Coleg y Brifysgol, Abertawe, ond â'i phrif swyddfa, yn gyfleus iawn, yng Ngholeg y Drindod, Caerfyrddin.

Yn 1991 hefyd daeth galwad i Geraint ymuno â chast yr opera sebon boblogaidd *Pobol y Cwm*, yn chwarae rhan ymgynghorydd ariannol a *smoothie* o'r enw Adrian Francis, cymeriad *yuppie*-aidd gyda'i siwt ddrud, ei ffôn symudol a'i gar BMW. Ei brif rôl oedd dylanwadu ar un o brif gymeriadau'r gyfres ar y pryd, y llanc ifanc Barry John, a newid ei natur a'i bersonoliaeth – a hynny er gwaeth. Dim ond mewn tair rhaglen yr ymddangosodd Adrian Francis yn y lle cynta, ond byddai'n dychwelyd ymhen rhai blynyddoedd i gynhyrfu'r dyfroedd ymhellach.

Wedi berw'r blynyddoedd cynt, tawelodd y gwaith rhyw ychydig, rhywbeth oedd i'w ddisgwyl:

> Ces i gyngor cynnar pan benderfynes i adael nyrsio gan Endaf a Jackie Emlyn, y ddau ohonyn nhw'n gweithio yn y busnes 'ma, i gadw arian wrth gefn ar gyfer cyfnodau tawel, felly ro'n i'n barod ar ei gyfer e pan ddaeth e. Roedd e'n gyfle hefyd i ymlacio a mwynhau gweithgareddau fel seiclo – wnes i dros 3,000 o filltiroedd, a newidiodd siâp 'y nghorff i'n llwyr.

Roedd apêl pysgota wedi para, a chafodd Geraint gwmni Myfyr ar ôl ei berswadio i ailgynnau diddordeb plentyndod yn y grefft. A daeth golff yn rhan o'r patrwm hamdden wrth i Pauline yn gynta ac yna Myf ddenu Geraint i chwarae.

Arwydd pellach o'r cyfeillgarwch rhwng y ddau deulu oedd ffurfio Band y Chwedegau. Tynnwyd y casgliad hwn o gerddorion at ei gilydd yn wreiddiol yn nechrau'r wythdegau gan Myf a Caryl i gynnal noson i godi arian i'w hysgol Gymraeg leol. Cafwyd digon o hwyl y noson gynta honno yng Nghlwb Rygbi'r Bont-faen i gyfiawnhau dal ati, a chynhaliwyd cyfres o nosweithiau hynod boblogaidd dros gyfnod o flynyddoedd. Gyda Myf a'i griw arferol o gerddorion a Geraint,

Caryl a Chris Winter yn brif gantorion, roedd cynulleidfaoedd wrth eu bodd yn clywed noson o *golden oldies* y chwedegau. Ac mewn ffordd roedd y cylch wedi troi'n gyfan i Geraint ers dyddiau The Undecided – uchafbwyntiau ei berfformiadau e oedd caneuon y Beatles fel *Day Tripper* a *Can't Buy Me Love*, *Mr Tambourine Man* y Byrds a chlasuron y Spencer Davis Group, *Keep on Runnin'* a *Gimme Some Lovin'*. Parodd Geraint yn aelod am ryw bum mlynedd cyn rhoi'r gorau iddi, ond mae'r band, gydag ambell aelod newydd, yn dal i fynd heddiw.

Daeth 1992 â nifer o sialensau newydd i Geraint. Mentrodd i fyd comedi yn y gyfres *Un Dyn Bach ar Rol*, yn chwarae dirprwy brifathro uchelgeisiol ac ystrywgar o'r enw Dylan Llwyd. Rhan fwy dramatig oedd un Bill Evans yng nghynhyrchiad HTV, *Glan Hafren*, lle bu'n rhaid iddo wisgo patshyn llygad – nid oherwydd gofynion y rhan ond yn dilyn damwain wrth dorri'r lawnt pan saethodd darn bychan o raean i'w lygad. Hyd yn oed ar ôl ffilmio *Glan Hafren*, bu'r llygad yn broblem achlysurol a chymerodd hi ddwy flynedd a gallu arbenigwr llygaid cyn i Geraint wella'n iawn.

Yn yr un flwyddyn darlledwyd cyfres gynta *Pris y Farchnad*, gyda David Lyn yn y brif ran ac yn cynhyrchu a'i fab, Tim, yn cyfarwyddo. Roedd Geraint yn berffaith ar gyfer rhan Ossie Williams – artist bohemaidd oedd yn teithio ar foto-beic, ac roedd y ffaith bod y ffilmio'n digwydd yng Nghaerfyrddin a'r cyffiniau'n ddelfrydol. Bu Ossie'n rhan allweddol o'r cast dros gyfnod o dair blynedd ac, ar ôl nifer o rannau mewn ffilmiau a dramâu unigol, roedd cael rhan mewn cyfres hir fel hyn yn golygu mwy o sicrwydd ariannol.

Ar ôl rhai blynyddoedd o actio'n broffesiynol, roedd Geraint wedi perffeithio'i ddull o baratoi – byddai'n cau pawb arall mas a chanolbwyntio'n llwyr ar ddysgu'i linellau ac ymarfer yn drylwyr fel bod y geiriau'n berffaith ar ei gof:

> Rwy'n hollol ddifrifol wrth baratoi; wedyn fe alla i ymlacio wrth berfformio. Does byth lawer o amser i ymarfer, enwedig ar deledu, ond rwy'n lico paratoi'n drylwyr.

127

Fel un sy'n ofergoelus ei hun, dysgodd hefyd am ofergoelion actorion:

> Yn y dyddiau cynnar, bydden i'n whistlan yn yr ystafell wisgo a bydden i'n cael yn hela mas, gorfod troi rownd dair gwaith, rhegi a wedyn dod 'nôl i mewn. Dwi ddim yn whistlan nawr, ond, yn wahanol i nifer o berfformwyr, does 'da fi ddim defodau nac unrhyw bethach i ddod â lwc. Byddai hynny'n mynd yn y ffordd i fi.

Ar yr ochr gerddorol, daeth cyfle arall i berfformio un o ganeuon Cân i Gymru, *Ble'r Aeth y Tân?* gan Dafydd Les a Tony Elliott, ym mis Ebrill, yn hytrach na Mawrth y cynta, am ryw reswm. Methwyd â chipio'r wobr ond rhoddodd y perfformiad lwyfan teledu i Geraint y canwr, gan godi'r cwestiwn ym meddyliau llawer – onid oedd hi'n bryd cael record newydd ganddo fe?

Y gwir amdani oedd bod casgliad o ganeuon wedi'u cyfansoddi a'u paratoi yn stiwdio fach Waunuchaf, ond roedd y byd recordio Cymraeg wedi newid. Gan fod gwerthiant recordiau roc ar i lawr, doedd Sain bellach ond yn fodlon mentro cynnig amser stiwdio i Geraint petai e'n fodlon prynu 500 copi o'r casét terfynol (roedd dyddiau recordiau feinyl wedi dod i ben a'r CD yn dal i ennill ei phlwyf yn y Gymraeg). Doedd hyn ddim yn dderbyniol gan Geraint ac aeth ati i edrych ar bosibiliadau eraill. Wedi ystyried a thrafod gyda phobol fel Myfyr, daeth i'r casgliad nad oedd angen cefnogaeth cwmni mawr arno fe bellach ac, yn nhraddodiad LLEF, penderfynodd sefydlu ei label recordio'i hun.

Roedd Myfyr erbyn hyn wedi sefydlu stiwdio broffesiynol yn garej ei dŷ e a Caryl ger y Bont-faen, sef Stiwdio'r Efail (gan mai dyna oedd yr adeilad yn wreiddiol), felly roedd yn gam rhesymegol i recordio yno yn hytrach nag yn stiwdio Loco. Y tro hwn, wedi cael blas ar gynhyrchu'r caneuon Celtaidd ar *Ararat*, Geraint oedd y cynhyrchydd a Myf yn beiriannydd. Roedd yna newidiadau eraill: ar ei dair record unigol gynta, gadawodd Geraint y gwaith offerynnol i gyd yn nwylo'r band gan ganolbwyntio ar y canu, ond ar y record newydd, a enwyd yn *Donegal*, gwnaeth gyfraniadau ar y gitâr acwstig, y mandolin, y banjo, y chwistl, yr harmonica a'r allweddellau. Gyda Dafydd Wyn ar y bas, Graham Land ar y drymiau a rhaglennu drymiau, Geraint Cynan ar ambell allweddell a lleisiau Cynan a Caryl ar ddwy gân, Geraint a Myf wnaeth y rhan fwyaf o'r gwaith. Er iddynt ddefnyddio tipyn ar raglennu cyfrifiadurol a *sequencers*, roedd sŵn y gerddoriaeth yn naturiol, yn gynnil ac yn eitha acwstig, yn wahanol iawn i sŵn llawn y recordiau cynt. Ond y geiriau oedd yn tynnu sylw – o deitlau fel *Uwch y Dibyn* ac *Oes 'Na Fwy Na Nawr* i linellau fel:

Mae'n anodd ffeindio unrhyw un
Sy'n deall yn union pam rwy i mor flin
(*Llithro a Llamu*)

Ar ôl deugain haf a gaeaf
Rwy'n amheugar
Fod 'na rywbeth yn fy nisgwyl i fan draw
(*Fan Draw*)

Cyfeillion annwyl sydd
O'm cylch o ddydd i ddydd
Un dydd maen nhw yma
A'r nesa wedi mynd
(*Un Cam ar y Tro*)

Y cwestiwn mawr i mi yn awr
Yw, gwed wrtha i, oes 'na fwy na nawr?
Oes 'na fwy na pwy yr 'w i
Gwed wrtha i, oes 'na fwy na nawr?
(*Oes 'Na Fwy Na Nawr*)

Caneuon am amheuaeth, ansicrwydd a cholled oedd casgliad *Donegal*, gyda'r gân werin *Paid â Deud* ('Os yw'th galon fach yn torri . . .') hefyd yn yr un cywair, a chlawr y casét, yn ddu gan fwyaf, gyda llun o Geraint difrifol iawn yr olwg yn syllu trwy ffenest wrth i'r glaw ddisgyn, yn cwblhau'r ddelwedd. Y gân roddodd deitl i'r casét, *Donegal*, oedd yr eithriad – cân araf, ddramatig a phibau Gwyddelig yn creu naws bruddglwyfus, ond cân oedd â gobaith yn y geiriau:

> Mae pob siwrne yn daith o brofiad
> Mae pob profiad yn siwrne ddrud
> Mae pob milltir yn cynnig cyfle
> I werthfawrogi pob eiliad sydd
> Yn Donegal
>
> Os oes cwmwl yn bygwth cawod
> Mae pob cwmwl yn cuddio haul
> Mae pob tro yn cuddio safle
> Man i eistedd a syllu draw
> At Donegal

Yn ôl Geraint:

> colli Anti Mat oedd y *catalyst* i gyfnod digon tywyll yn 'y mywyd i ac roedd recordio caneuon *Donegal* yn rhyw fath o gatharsis.

Yn sicr, i unrhyw un sy'n gwrando arno fe, mae'n gasgliad cignoeth o onest.

DECHRAU DIWEDD Y GWT

Er mai menter Geraint oedd y label recordio newydd, tynnodd dîm o'i gwmpas er mwyn bwrw'r maen i'r wal. David Kirk, ffotograffydd lleol a chydymaith golff, oedd yn gyfrifol am y lluniau, a'r hen gyfaill Charli Britton gynlluniodd y clawr. Geraint ei hun luniodd yr arwyddlun, sef bryncyn a heol droellog yn arwain tuag at fachlud haul. A'r enw? Byddai ei dad a'i deulu'n aml yn defnyddio'r ymadrodd '. . . a diwedd y gwt oedd . . .' wrth derfynu stori ffraeth. Rhywsut, roedd y peth wedi aros yn y cof, a Diwedd y Gwt ddewiswyd yn enw ar gyfer y label newydd. Anfonwyd y tapiau at gwmni recordiau Grampian yn Wick yn yr Alban i gynhyrchu'r casetiau – 500 ohonyn nhw – a rhoddwyd y dosbarthu yn nwylo Arthur Davies o Gil-y-cwm, dyn a feddai ar flynyddoedd helaeth o brofiad yn y maes ers dyddiau cwmni Cambrian yn y chwedegau.

Roedd pawb, yn y stiwdio a'r tu allan, yn gwybod eu gwaith, ond roedd cyhoeddi *Donegal* ar label annibynnol, a hynny ar ffurf casét pan oedd CDs yn ennill tir, yn dipyn o fenter. Diolch byth, roedd hi'n fenter lwyddiannus. Roedd Geraint eisoes yn aelod o'r PRS, yr MCPS a'r PPL, sef y cyrff hawlfraint sy'n casglu a dosbarthu arian i artistiaid a chwmnïau o ffynonellau darlledu, felly mater syml, i rywun oedd yn deall y system, oedd cofrestru Diwedd y Gwt yn yr un modd er mwyn sicrhau'r arian dyledus pan ddeuai. O fewn ychydig fisoedd roedd y rhan fwyaf o'r casetiau wedi'u gwerthu a'r caneuon, yn enwedig y rocyr *Popeth yn y Byd*, wedi ennill eu plwyf ar raglenni radio. Roedd Geraint wedi ennill mwy o reolaeth dros ei waith ei hun a llwyddo i wneud i hynny dalu'r ffordd yn ariannol hefyd.

Parhau wnaeth y cynigion actio dros y misoedd a'r blynyddoedd nesa – *Halen yn y Gwaed*, ail gyfres *Pris y*

Farchnad, comedi *Y Ferch Drws Nesa* a *Sant mewn Storm*. Ac os oedd ymddangosiadau Geraint ar lwyfan fel canwr wedi prinhau, roedd digon o alw am ei lais – gwelodd canol y nawdegau ymddangosiadau ar record gyda Gwenda Owen a Chôr Orffiws Treforus a gwahoddiad pellach i berfformio un o ganeuon Cân i Gymru. Y tro hwn, ddegawd ar ôl *Y Cwm*, fe wnaeth popeth daro deuddeg unwaith eto a pherfformiad Geraint o gân Paul Gregory, *Rhyw Ddydd*, aeth â hi. Ond er i'r cyfle arferol o berfformio yn yr Ŵyl Ban-Geltaidd ddilyn yn sgil y llwyddiant, gwrthod yn gwrtais wnaeth Geraint, a chafodd Paul Gregory ei hun berfformio'i waith yn Iwerddon. Mae'n wir dweud bod yr ŵyl wedi gweld dyddiau gwell – bellach doedd dim presenoldeb teledu a phrin oedd y sylw ar radio hefyd. Ar ben hynny, roedd disgwyl i'r artistiaid fynd i gynrychioli Cymru ar eu cost eu hunain. Ta beth, roedd gan Geraint esgus da: roedd e eisoes wedi trefnu gwyliau – yn Iwerddon!

Roedd 1994 hefyd yn nodi degawd ers i Eliffant ddod i ben, a chyda phen-blwydd un o gefnogwyr selocaf y grŵp, Haydn Talgrwn, yn ddeugain oed daeth cyfle am aduniad. Gweld Eliffant yn perfformio unwaith eto oedd dymuniad Haydn fel anrheg pen-blwydd, a chafodd Gordon Jones y gwaith o geisio tynnu'r cyfan at ei gilydd. Wedi nifer o ymarferion yn Theatr Felinfach, perfformiodd Eliffant – heb John Davies ond gyda Terry Dixon, cyfaill i Gordon, ar y gitâr – set fer o naw cân o flaen cwmni awchus yng ngwesty Goginan, Llanarth, ar ddiwedd mis Awst.

Yn dilyn llwyddiant aduniad Eliffant, roedd hi'n anorfod y byddai'r pwysau'n tyfu i wneud mwy, a chytunwyd â chais Euros Lewis i'r band berfformio yn ngŵyl flynyddol Aerwyl yn Theatr Felinfach ym mis Mai 1995. Unwaith eto, roedd John Davies yn methu â chymryd rhan a'r tro hwn llenwyd y bwlch gan Geraint Williams, gynt o'r grŵp roc trwm o ardal Crymych, y Diawled; yn absenoldeb Gordon Jones, daeth Colin Owen, y drymiwr gwreiddiol, yn ôl am noson. Yr un set naw cân gafodd ei pherfformio, ond bu'n rhaid eu canu nhw am yr ail waith, gymaint oedd gwerthfawrogiad y dorf.

Taflwyd cwmwl dros y teulu wrth i Bryn, oedd bellach yn 88 mlwydd oed, gael ei daro gan strôc. Er iddo fe wella'n raddol, daeth cyfres o strôcs llai i ddilyn a bu'n rhaid wynebu'r ffaith bod arno fe angen gofal amser-llawn; yn ffodus cafwyd lle iddo fe yng nghartre Plas y Dderwen, Caerfyrddin.

Yn fuan wedyn dechreuodd Geraint ddioddef poenau yng nghymalau'i fysedd chwith. Yr ofn gwreiddiol oedd bod *arthritis* o ryw fath wedi gafael, a brwydrodd Geraint yn erbyn y peth am sbel cyn i chwarae'r gitâr fynd mor boenus fel bod yn rhaid siarad â doctor. Cyngor hwnnw oedd gorffwys y cymalau am gyfnod, cyfnod barodd yn agos at flwyddyn ac a ddaeth ag ofn yng nghefn ei feddwl na fyddai'n bosibl cydio yn y gitâr fyth eto. Ond gydag amser ac amynedd, gwellodd y cyflwr a dathlodd Geraint ei iachâd trwy brynu gitâr acwstig newydd sbon. Roedd wedi darllen am wneuthurwr gitarau Gwyddelig o'r enw George Lowden oedd wedi sefydlu'i gwmni'i hun yn Iwerddon ar ôl cyfnod fel *luthier* yn Japan – i gwmni Takamine yn ôl y sôn. Trwy gyd-ddigwyddiad, roedd gan gerddor ifanc o Gaerfyrddin, Steffan Rhys Williams, ffrind ysgol i Elin a Lisa, un o gitarau Lowden a chafodd Geraint gyfle i'w chwarae a chael ei swyno'n llwyr. Sylwodd Pauline hefyd ar ragoriaeth y Lowden, gan ddisgrifio'r sŵn fel 'angylion yn canu'. Un arall oedd â gitâr Lowden oedd y cerddor Tudur Morgan, a thrwyddo fe daeth Geraint i gysylltiad â'r cwmni'n uniongyrchol ac archebu gitâr wedi'i llunio'n arbennig ar ei gyfer e. Cafodd e fargen o ran pris, a gitâr i'w thrysori.

Daeth newid byd i Waunuchaf wrth i Elin adael cartre i fynd i'r coleg wedi cyfnod disglair yn Ysgol Bro Myrddin. Roedd ei bryd ar ddilyn y gwyddorau a dewisodd Ddaearyddiaeth, Mathemateg a Chemeg ar gyfer ei phynciau lefel A, ond aeth ei chariad tuag at lenyddiaeth yn drech na hi a newidiodd o Gemeg i Saesneg. Wedi pasio'i lefel A, aeth i Aberystwyth i astudio Daearyddiaeth Ddynol ac ennill cyflog ar yr un pryd trwy weithio'n rhan-amser mewn *delicatessen* lleol.

Wedi rhan yn *Y Teulu* i Endaf Emlyn, dychweliad i *Bobol y Cwm* a ffilmio trydedd gyfres, yr olaf, o *Pris y Farchnad*, daeth

1996 â chyfres o gyfleon newydd i Geraint a chyfnod o waith sefydlog o fwy nag un cyfeiriad. Un cynnig annisgwyl oedd rhan mewn cynhyrchiad radio i Radio 4 y BBC, *A Small Country*, hanes hynt a helynt teulu o Geredigion yn ystod newidiadau cymdeithasol y dauddegau a'r tridegau. Eto ar gyfer radio, cafodd Geraint ei gastio fel Jeff Edwards yn yr opera sebon ddyddiol newydd *Ponty*, stori cwmni tacsi rhywle yn ne Cymru, gan gychwyn perthynas â Radio Cymru fyddai'n para'n ddi-dor am y degawd nesa.

Ochr yn ochr â hyn, cafodd gynnig y brif ran gan HTV yn eu cyfres ar gyfer dysgwyr, *Talk About Welsh*, oedd yn gofyn am sgiliau gwahanol gan actorion, gan mai addysgu oedd prif nod y rhaglenni:

> Roedd rhaid i chi ddysgu'r sgript air-am-air. Roedd e'n dipyn o sialens i bobol heb ddisgyblaeth – fel fi – ond roedd hynny'n beth da. Yn y dechre, roedd y sefyllfaoedd yn syml, ond erbyn y diwedd ro'n ni'n delio â phethe mawr fel ysgariad ac alcoholiaeth. Naethon ni rhwng dwsin a dau ddwsin o raglenni bob blwyddyn am bum mlynedd, a ffilmio o gwmpas Caerdydd mewn fflatiau a thai amrywiol. Gwaith caled, achos bod yn rhaid bod mor gywir, ond profiad ardderchog.

Profiad newydd arall oedd trosleisio cartŵns. Defnyddiwyd llais Geraint ar gyfer ffilm *manga* o Japan – disgyblaeth newydd arall – a phan benderfynwyd trosi anturiaethau *Famous Fred*, cath oedd yn canu roc, i'r Gymraeg, roedd angen rhywun â llais canu cryf i leisio'r prif gymeriad, gwaith gafodd ei wneud yn Saesneg gan Lenny Henry. Geraint oedd y dewis amlwg.

Yn 1997 gwnaeth Geraint ei ymddangosiad olaf fel perfformiwr ar Cân i Gymru, a hynny gyda chân aflwyddiannus. I rai, roedd hi'n syndod nad oedd e'i hunan wedi cyfansoddi cân ar gyfer y gystadleuaeth:

Dwi erioed wedi gwneud. Dwi ddim yn gweld y pwynt. Os oes 'da fi rhywbeth i'w ddweud, wna i sgwennu. Fel arall, well 'da fi fynd i bysgota. Cofiwch chi, byddai £10,000 yn neis, ond wedyn, petawn i'n ail, neu waeth . . . dwi erioed wedi lico'r teimlad 'ny.

Bum mlynedd wedi cyhoeddi *Donegal*, doedd dim sôn am record arall; yr unig gynnyrch yn y cyfnod hwn oedd y gân *Neges (Wrth Ffrindiau)* gyfrannodd Geraint i CD er budd UNICEF, *Dros Blant y Byd*. Un rheswm dros yr oedi oedd diddordeb newydd y nawdegau, sef arlunio. Rhannai Geraint a'i gymydog a'i ffrind, Glan Rees, ddiddordeb mewn ffotograffiaeth, a Glan awgrymodd eu bod nhw'n ymuno â chwrs nos mewn paentio dyfrliw ar gyfer oedolion yn Ysgol Bro Myrddin. Dros fisoedd y gaeaf am rai blynyddoedd cafodd y ddau eu trwytho ymhob agwedd ar arlunio a phaentio, o bensil i olew:

Y peth am baentio yw ei fod e'n cymryd drosodd, mae mor rhwydd ymgolli nes 'ych bod chi'n colli'r ymdeimlad o amser. Dyna, yn y pen draw, pam roddes i'r gorau iddi. Pan o'n i'n paentio, doedd 'da fi ddim awydd cyfansoddi cerddoriaeth neu sgwennu caneuon – roedd paentio'n bodloni'r ysfa greadigol yndda i. Fe a' i 'nôl ato fe, rwy'n dal i greu ambell i *sketch* neu ddyfrliw, fel arfer pan fydda i ar wyliau yn Ffrainc, lle sy'n ysbrydoliaeth naturiol i fi oherwydd 'yn hoffter i o *impressionists* Ffrengig, Monet yn arbennig.

Er nad oedd yna record newydd, cyhoeddwyd casgliad o hen ganeuon Geraint gan gwmni Sain. Un o ganlyniadau twf y CD fel cyfrwng yn y nawdegau oedd ailgyhoeddi cynnyrch o'r catalog, peth cymharol rad i gwmnïau a ffordd o gadw caneuon rhag mynd yn angof wrth i bobol, gan gynnwys gorsafoedd radio, droi cefn ar feinyl. Casglwyd deunaw o ganeuon – o ddyddiau Injaroc i *Ararat* – dan y teitl *Blynyddoedd Sain 1977–1988*, ynghyd â lluniau, geiriau a nodiadau manwl am y recordiadau gwreiddiol.

Daeth diwedd 1997 â newidiadau mawr i'r teulu. Yn gynta,

gadawodd Lisa Waunuchaf i fynd i'r coleg. Roedd hithau, fel ei chwaer, wedi cael hwyl ar ei gwaith ysgol, gan feistroli'r grefft o baentio'i hewinedd ac adolygu ar gyfer arholiadau ar yr un pryd! Wedi tair gradd A lefel A mewn Ffrangeg, Saesneg a Hanes, dewisodd symud i Gaerdydd i astudio Ffrangeg ac Astudiaethau Ewropeaidd.

Brin fis wedi i Lisa adael y nyth daeth dwy ergyd fawr, un ar ôl y llall. Ar yr wythfed o Hydref, bu farw Bryn yn 91 oed. Yn y diwedd, roedd effaith y strôcs wedi profi'n ormod, ond roedd cysur o wybod ei fod wedi cael deng mlynedd ar hugain yn hwy nag y phroffwydodd doctoriaid Castell-nedd a Chaerdydd yn y chwedegau. Wyth niwrnod yn ddiweddarach collwyd Tommie Ryan, yntau'n 80 oed, ar ôl cyfnod hir o anhwylder ar ei frest. Tan y diwedd, hyd yn oed wedi iddyn nhw ymddeol, roedd Rose ac yntau wedi cadw'r siop feics yn Caterham.

Yn aml iawn, ffordd artist o ddygymod â cholled yw creu, a chafodd Geraint ei ysbrydoli i gyfansoddi caneuon o'r newydd. Yn wahanol i gyfnod *Donegal*, roedd elfen gref o obaith ac o dderbyn y tro hwn, gyda'r syniad o fywyd fel taith yn ganolog i'r cyfan:

> Taith ddiddiwedd yw fy mywyd wedi bod erioed
> Sŵn pob cam yn adlais ar y ffordd i gadw oed
> Os mai taith yw'r cyfan mae 'na un peth yn go glir
> 'Da cwmni da dyw'r siwrne fyth yn hir
> (*Cerdded gyda Thi*)

> Mae'r hewl yn galw heno, wna' i ddim ei dilyn hi
> Mae'n ddigon i fod yma a chael dy nabod di
> (*Hewl*)

> Dwi ddim yn cofio teithio hon o'r blaen
> Mae'r lôn yn ddierth, yn dywyll o fy mlaen
> A'r peth rhyfedda yw dwi ddim yn teimlo ofn
> Wrth ddawnsio ar fy ffordd siathre
> (*Siathre*)

Cân i Bryn yw *Siathre*, a'r chwibanu ar ddiwedd y gân yn gyfeiriad at ei arfer o whistlan, rhywbeth gynyddodd yn ystod ei flynyddoedd ola. Fe hefyd oedd yr ysbrydoliaeth ar gyfer *Yn Dy Law*, cân obeithiol arall, er yr hiraeth:

Pan ddaw tywyllwch yma i'n bygwth
Dwi am afael yn dy law
Pan dwi'n cael fy hun yn unig
Dwi am afael yn dy law

Pan yr oeddwn i yn ofnus
Rhaid oedd gafael yn dy law
Pan fu'r ffordd o 'mlaen yn dywyll
Hawdd oedd estyn am dy law

Nawr dwi yma hebddot bellach
Dwi yn cofio'th eiriau di
D'wedaist 'Aros yn fy ymyl
Cadw'th lygaid arna i'

Rwy'n dy weled draw'n y pellter
Ac mae sawl un gyda thi
Dwy'n adnabod eu gwynebau
Maent yn annwyl iawn i mi

Mae eich geiriau o mor eglur
'Paid ag ofni'r oriau du'
Mae sŵn chwerthin yn y gole
Sydd yn arllwys drostoch chi
Mae yn arllwys drostof fi

Roedd yna ganeuon i Pauline hefyd – gyda cholli Bryn a Tommie (ac Anti Glad hefyd yn yr un cyfnod) a'r merched ill dwy oddi cartre yn y coleg, roedd hi wedi bod yn gyfnod anodd iddi hi ac i Geraint fel ei gilydd, ond bu'n gyfle i'r ddau fod yn gefn i'w gilydd ac i wynebu cyfnod newydd yn eu hanes yn fwy clòs nag erioed:

Dwi byth am i ni frysio
Pan fyddwn ni'n dawnsio
Mae gen i awydd i fod 'da'n gilydd
Byth a beunydd, yn dy freichie di
(*Pan Fyddwn Ni'n Dawnsio*)

Dim ond cerdded gyda thi,
Am byth i gerdded gyda thi
Ar hyd yr hen, hen lwybrau
I gerdded gyda thi
(*Cerdded gyda Thi*)

Daeth cyfle amserol i berfformio ar raglen deledu *Clwb Gwerin*, ar yr amod bod y caneuon wedi'u trefnu'n addas i glwb gwerin yn hytrach na band roc. Roedd hyn yn cydweddu'n berffaith â natur y caneuon newydd a chyfeiriad cerddorol Geraint ers tipyn, ond roedd angen dod o hyd i gerddorion addas. Pauline awgrymodd enw Geraint Davies, gynt o Hergest a bellach yn aelod o'r grŵp gwerin Mynediad am Ddim – roedd y ddau Geraint wedi cadw cysylltiad ers iddyn nhw gydweithio yn ystod y saithdegau, wedi rhannu llwyfannau dros y blynyddoedd a GD – yn gwisgo'i het cynhyrchydd Radio Cymru – wedi gwahodd GG ar sawl achlysur i gymryd rhan yn ei raglenni. GD hefyd, yn sgil ei ddiléit yn hanes canu pop a roc Cymraeg, wnaeth y gwaith archifol ar gasgliad CD Sain. Cwblhaodd Myfyr Isaac y triawd ar gyfer *Clwb Gwerin*, lle perfformiwyd *Siathre* a threfniant newydd o *Edrych am Rywbeth* oddi ar *Madras*. Ychydig fisoedd yn ddiweddarach perfformiodd y tri ddwy gân arall wedi'u trawsnewid yn acwstig, *Ffair Caerdydd* a *Cowbois Crymych,* ar gyfer cyfres debyg, *Cerdd a Chân*.

Yn 1998 cyhoeddodd Geraint fersiwn CD o *Donegal* ar label Diwedd y Gwt, ond roedd hi'n hen bryd cyhoeddi record newydd. Sbardun ychwanegol oedd llythyr ddaeth o Japan ac oedd yn llawn cefnogaeth:

I am quite into Welsh music scene. I asked Sain for your address so I'm writing to you. I like the Injaroc / Eliffant days. How did you form these bands? It has been almost 10 years since your last solo album. I hope you will make another collection. That would be your new way to 21st century. I look forward to hearing from you.

Good luck and best wishes,

Takahiko Togano

P.S. Dydw i ddim yn gallu siarad Cymraeg.

Y tro hwn penderfynodd Geraint fynd gam ymhellach o ran hunanreolaeth, gan gymryd y cam naturiol nesaf ar ôl sefydlu label Diwedd y Gwt, sef recordio'r cyfan yn Waunuchaf. Dros y blynyddoedd roedd ei offer recordio wedi tyfu'n fwy safonol ond, gyda thwf recordio digidol, sylweddolodd fod angen buddsoddi eto er mwyn cyrraedd y safon angenrheidiol a phrynodd beiriant digidol Fostex 8-trac a meicroffon AKG oedd yn addas i'w lais. O ddiwedd 1997 hyd 1998, aeth ati i gynhyrchu casgliad o ddwsin o ganeuon, gan ganu a pherfformio pob nodyn ei hun, gyda chymorth ei hen gyfaill Merlin Ambrose, a Steffan Rhys Williams, i bwyso ambell fotwm pan na allai Geraint fod mewn dau le ar yr un pryd. Yn ogystal â'r caneuon personol o golled a gobaith, lluniodd driawd o ganeuon – *Hela'r Penwaig*, *Hannah* a *Mae'r Byd yn Troi'n Brydeinig* – dan y teitl ymbarél *Sir Benfro 1797* i nodi dau gan mlwyddiant glaniad enwog y Ffrancod yn ne-orllewin Cymru, a – rhywbeth newydd eto – cân offerynnol oedd, fel yr awgrymai'r teitl, yn deillio'n ôl i *'Dolig '94*.

Er i Charli Britton gynllunio'r clawr unwaith eto ac i David Kirk dynnu llun ar gyfer tu mewn y clawr, Geraint ei hun dynnodd y llun blaen. Aeth e a Pauline i America ym mis Mehefin 1998, gan hedfan i Phoenix, treulio amser gyda brawd Myfyr, Mike Isaac, oedd wedi ymsefydlu yno, a dilyn llwybr ffordd chwedlonol Route 66 (neu cyn gymaint ag oedd ar ôl ohoni). Ger tref Seligman yn Arizona, tynnodd Geraint y llun perffaith ar gyfer y clawr, i gyd-fynd â'r teitl amlwg i'r casgliad, sef *Hewl*. Cyflwynwyd y record 'I Bryn, Tommy, a Glad. Teithwyr ar hyd yr hewl.'

Roedd Ray wedi dygymod yn rhyfeddol â bywyd ar ei phen ei hun yn y fflat, ond tua blwyddyn wedi colli Bryn dioddefodd *collapsed vertebrae* o ganlyniad i *osteoporosis*. Awgrymwyd y dylai gymryd ystafell am gyfnod yng nghartre Argel yn Nhre Ioan, lle gallai orffwys a chael gofal priodol. Er yr ofnau naturiol ynglŷn â newid byd o'r fath, ymgartrefodd Ray yno o'r cychwyn cynta ac, yn y pen draw, penderfynodd symud yno'n barhaol:

> Roedd e'n dipyn o benderfyniad, ond mae Mam wastad wedi bod yn fenyw gall ac ymarferol. Mae ganddi hi ei stafell ei hun ar y llawr gwaelod, un roedd hi'n ffansïo o'r cychwyn cynta, ar ôl symud sawl gwaith cyn bod honna ar gael. Gan amla, rwy'n mynd i'w gweld hi yn ystod yr wythnos a Pauline yn ymweld dros y penwythnos. Mae 'da hi gwmni a lle iddi hi'i hunan os yw hi ishe preifatrwydd. Does dim gofid 'da hi ac mae hi'n hapus yno.

Wedi gadael Aberystwyth â gradd BA, penderfynodd Elin dreulio blwyddyn yn teithio cyn chwilio am swydd barhaol. Dan adain sefydliad i fyfyrwyr, teithiodd i Vancouver gyda nifer o raddedigion o'r un anian â hi. Cafodd hyd i fflat yno, llogi car a theithio rhannau helaeth o Ganada a'r Unol Daleithiau:

> Mae Elin yn un dda am deulu a hanesion teuluol. Roedd 'y nhad wedi ymweld ag Efrog Newydd yn ystod y rhyfel a mynd i dop yr Empire State Building. Roedd Elin yn cofio hyn wrth gwrs a dyma hi'n ffonio adre, nid jyst o Efrog Newydd, ond o ben yr Empire State!

O Vancouver, symudodd i Toronto am gyfnod, cyn hedfan yn ôl i Gymru a chael swydd yng Nghaerdydd. Treuliodd chwe mis gyda chwmni tele-werthu, cyn ymuno â chwmni hysbysebu oedd yn paratoi hysbysebion Cymraeg ar gyfer papurau newydd. Oddi yno cafodd ei denu i Lundain a swydd rheolwr cyfrifon gydag un o gwmnïau mawr y Ddinas.

Am gyfnod byr yn 1999 aeth Geraint yn ôl i weithio yn Ysbyty Glangwili. Byddai'n mynychu'i dafarn leol, y Tanerdy, yn achlysurol, a byddai nifer o'i gyn gyd-weithwyr yn cwrdd yno gan ei bod mor agos i'r ysbyty. Roedd Sandra Brinson, uwch-*sister*, wedi gofyn iddo fe ystyried dychwelyd sawl gwaith oherwydd prinder dybryd o staff theatr ac, wrth gynnig gwaith banc iddo fe – oedd yn golygu y gallai ddewis pryd yr oedd e am weithio – cytunodd Geraint roi cynnig arni,

> yn bennaf oherwydd yr her. Allen i 'i wneud e o hyd? Bares i dri mis am ddau ddiwrnod yr wythnos – profiad caled ond pleserus, ond wna i ddim ohono fe 'to. Dwi ddim bellach yn nyrs cofrestredig – adawes i i'r amser ailgofrestru fynd heibio – felly fe alla i dynnu llinell dan y cyfnod pwysig hynny yn 'y mywyd i.

Wedi cwblhau *Hewl* roedd angen hybu'r CD gymaint â phosibl, a gyda'i hoffter o dechnoleg, penderfynodd Geraint sefydlu gwefan er mwyn rhoi cyhoeddusrwydd i *Hewl* ond hefyd i'w yrfa'n gyffredinol. Bu'n ymgynghori â Rod Bowen, o un o siopau cyfrifiadurol Caerfyrddin, a chyda'i gymorth e, a'r meddalwedd priodol, llwyddodd i adeiladu'i wefan ei hun – www.geraintgriffiths.com – ac, erbyn yr haf, roedd y cyfan yn fyw.

Prin iawn oedd yr ymddangosiadau byw fel canwr – nid o ddewis, ond o ganlyniad i leihad cyffredinol mewn gigs – ond uchafbwynt cerddorol y flwyddyn oedd perfformio, ynghyd â nifer o artistiaid eraill, ar lwyfan Neuadd y Brangwyn, Abertawe, gyda Cherddorfa Gymreig y BBC, gan gynnwys deuawd unwaith eto gyda Huw Chiswell ar *Y Cwm*. Ond roedd digon o gynigion actio, a'r rheini'n ddigon amrywiol; daeth cyfle i ailymweld am gyfnod byr â *Phobol y Cwm*, y tro hwn fel cymeriad newydd o'r enw Tony Hearst (byddai'n portreadu trydydd cymeriad, Wyn Croeswen, yn 2001), bu'n ffilmio cyfres gynta (o ddwy) *Y Marinogion*, cynhyrchiad Euros Lewis, o gwmpas Aberaeron, a chafodd ei gastio fel yr artist Augustus John yn y ffilm *Yr Artist a'r Sipsi*.

Yn ystod haf 1999, cychwynnwyd ymgyrch i arbed ysgol fach Tegryn, tua deng milltir o Gaerfyrddin, rhag cael ei chau. Tegryn oedd cartre Rod Bowen, a fe hefyd oedd y cynghorydd lleol. Er mwyn tynnu sylw at yr ymgyrch, penderfynodd Rod y byddai recordio cân brotest gyda phlant yr ysgol yn arf effeithiol, a gofynnodd i Geraint am gyngor. Roedd Geraint yn fwy na pharod i helpu Rod, yn rhannol er mwyn talu'n ôl am ei help cyfrifiadurol, ond hefyd oherwydd bod ymgyrch o'r fath ar garreg y drws yn cyd-daro â'i werthoedd yntau. Cafodd ei ysbrydoli i gyfansoddi *Ni yw'r Dyfodol*:

> Ni yw'r dyfodol, mae fory'n eiddo i ni
> Fe wnawn ein gore i godi'r faner fry
> A chadw'r freuddwyd yn fyw

Roedd y recordiad ei hun yn dipyn o wasgfa – wedi'r cyfan, roedd stiwdio Waunuchaf wedi'i chynllunio ar gyfer un dyn – ond cyrhaeddodd ugain o blant yr ysgol dan ofal dau o'u hathrawon a chyda chymorth Steffan Rhys Williams a'r gantores Angharad Brinn llwyddodd Geraint a'r plant i recordio'r cyfan mewn diwrnod. Dyblygodd Rod gant o gopïau i'w dosbarthu o gwmpas yr ardal a gwerthwyd y cyfan, gan ledu'r neges a chodi rhywfaint o arian i'r ysgol hefyd. A than y tro nesa, diddymwyd y bygythiad i ysgol Tegryn.

GWEHYDD GWYDDELIG

Rywbryd yn ystod gwanwyn 2000 gofynnodd Marc Phillips, prif weithredwr Tenovus ar y pryd, i'w hen ffrind Geraint Davies a fyddai'n fodlon ailffurfio Hergest ar gyfer noson i godi arian i'r elusen yn Eisteddfod Genedlaethol Llanelli. Teimlad Geraint oedd bod gormod o aduniadau tebyg wedi bod yn ddiweddar ac nad oedd yr amser yn iawn am un arall, ond cynigiodd drefnu noson wahanol fyddai'n cynnwys nifer o gantorion pop, roc a gwerin Cymraeg yn canu'u caneuon mwyaf poblogaidd, a hynny'n acwstig, gan gyfeilio i'w gilydd. Cytunodd Marc â'r awgrym ac aeth Geraint ati i gasglu pobol i gymryd rhan, gan gychwyn gyda Geraint Griffiths. Tyfodd y rhestr i gynnwys Delwyn Siôn, Tecwyn Ifan, Dewi Pws, Emyr Wyn, Heather Jones a Siwsann George, gyda Disco Mici Plwm yn llenwi rhwng perfformiadau.

Un wyneb annisgwyl ar y noson oedd un John Griffiths. Wedi cyfnod llewyrchus yn Edward H Dafis ac Injaroc ac fel cyfeilydd i lu o artistiaid eraill ar record ac ar lwyfan, roedd John wedi colli cysylltiad gyda'i gyd-gerddorion ers rhai blynyddoedd, ond roedd e a Geraint Davies wedi ailgydio yn eu cyfeillgarwch dros y misoedd blaenorol. Pan glywodd John am y noson soniodd y byddai'n dod i chwyddo'r gynulleidfa, ond pwysodd Geraint Davies arno i ddod â'i gitâr fas gydag e. Wedi llawer o berswadio, doedd neb yn siŵr a fyddai John, na chwaith y bas, yn dod wedi'r cwbwl, ond ar y noson cyrhaeddodd y ddau Glwb y Strade, Llanelli, ac unwaith i John gael blas arni, bu'n angor cerddorol i'r rhan fwyaf o'r perfformwyr – doedd dim modd ei gael e oddi ar y llwyfan!

Gwelodd Geraint Griffiths gyfle i atgyfodi'r syniad o grŵp bach acwstig tebyg i'r triawd gyda Myfyr a Geraint Davies, ond y tro hwn gyda Geraint a John. Yn ddaearyddol, roedd y ddau arall o fewn cyrraedd hwylus i Gaerfyrddin, gyda John yn dal i fyw ym Mhontrhydyfen a Geraint wedi ymgartrefu yng Nghraigcefnparc, ger Abertawe. Er nad oedd y tri wedi gweithio gyda'i gilydd ar yr un pryd o'r blaen, roedd mwy na digon o dir cyffredin rhyngddyn nhw, o'u dylanwadau cerddorol yn ôl i ddyddiau cynnar John a'i gefnder fel deuawd cerdd dant. Dechreuwyd ymgynnull yn Waunuchaf ar foreau Sadwrn – adlais arall o un o grwpiau cyfnod Pontrhydyfen – gan weithio ar ganeuon Geraint o ddyddiau Eliffant a'i yrfa unigol a chaneuon newydd sbon, wedi'u haildrefnu ar gyfer dwy gitâr acwstig, bas a thri llais. Ac ochr yn ochr â'r gerddoriaeth, roedd elfen gymdeithasol gref i'r seiadau.

Nid bod Geraint wedi cefnu ar roc – derbyniodd wahoddiad Bryn Terfel i berfformio yng ngŵyl gynta'r Faenol ym mis Awst 2000 gyda band llawn. Roedd hefyd yn paratoi caneuon yn y stiwdio ar gyfer ei record nesa. Erbyn hyn sefydlwyd patrwm o weithio oedd yn ddilyniant o gyfansoddi cân, ei recordio (fel rheol gyda Geraint yn perfformio pob dim, gan ddefnyddio offerynnau go-iawn a samplau drymiau cyfrifiadurol), cymysgu, ac yna ymlaen i gyfansoddi cân arall nes bod digon o ganeuon i greu cyfanwaith record hir. Am y tro cynta o ddifrif, dechreuodd arbrofi gyda dulliau gwahanol o diwnio'r gitâr, roddodd gychwyn i nifer o ganeuon newydd, gyda thema gyffredin o 'newid' yn y geiriau. Enghraifft o hyn oedd y gân *Lawr Dre*, a ysbrydolwyd gan y protestio am bris tanwydd yn 2000:

> Ro'n i lawr yn y dre gyda ffrind i mi
> Yn crwydro'r strydoedd i weld be welen ni
> Pan ddaeth y lorïe i'n hatgoffa ni
> Fod gwaith i'w wneud dros ryddid
>
> Gyda'u golau'n llachar a'u dreigie coch
> Rubanau melyn a'u cyrn yn groch
> Yn datgan ffolineb troi y foch
> Pan fod gwaith i'w wneud dros ryddid

Rhyddid i sefyll a rhyddid i droi
Rhyddid i aros a rhyddid i ffoi
Rhyddid i hawlio bywyd gwell
A'r rhyddid i fod ni ein hunain

Mae'r byd yma'n fychan a'r wlad yma'n llai
Daw'r newidiade gyda'r llanw a'r trai
Does neb ond ni i dderbyn y bai
Os na chlywn ni glychau rhyddid

(Ac er mor gyfoes y gân, roedd 'clychau rhyddid' yn gyfeiriad pendant at *Chimes of Freedom* Bob Dylan a'r Byrds o'r chwedegau.)

Dylanwad arall ar y caneuon newydd oedd diddordeb cynyddol Geraint yn hanes y teulu. Wncwl Ron oedd archifydd answyddogol y teulu – wedi iddo ymddeol o ddysgu yn Llundain, symudodd i ardal Porthcawl a chasglu tipyn o ddeunydd ar y Griffithsiaid, a mynd mor bell ag ysgrifennu hunangofiant, sef *Over My Shoulder*. Bu farw yn 2000 yn 88 oed ac aeth llawer o'r deunydd teuluol ar goll. Ysgogodd hyn Geraint i gario ymlaen â'r gwaith ac aeth ati i addysgu'i hun yn y grefft o hel achau gan wneud defnydd helaeth o Archifdy Sir Gâr yng Nghaerfyrddin. Roedd y canlyniadau'n eitha syfrdanol – er na wyddai hynny cyn ymchwilio, o'i gartre yn Waunuchaf mae modd gweld eglwys Llangynnwr lle bedyddiwyd, priodwyd a chladdwyd ei hen hen hen dad-cu, William Griffiths, a'i wraig Catherine, sef tad-cu a mam-gu'r William Griffiths ddaeth i Bontrhydyfen ganol y bedwaredd ganrif ar bymtheg. Hefyd mae modd gweld tir hen fferm deuluol Penbontbren yn Nant-y-caws lle magwyd Thomas Griffiths cyn iddo symud i Little Bridge Street, Caerfyrddin a dilyn prentisiaeth fel gwehydd, a mynydd Llangyndeyrn uwchben Felindre lle symudodd Thomas Griffiths a'i deulu wedi terfysgoedd etholiadol 1836 i weithio yn y ffatri wlân. Yno y ganed William Griffiths, hen dad-cu Geraint, a'i hanes ef ysbrydolodd y gân *Dilyn Brunel*:

Gadewais Sir Gâr a'm cartre clyd
I grwydro'r wlad a gweld y byd
Ac yn nhre Llanelli cwrddais y dyn
Wnaeth newid cwrs fy mywyd

Ces gaib a rhaw a mandrel main
I dorri'r ffordd trwy'r gwrysg a'r drain
A gosod hewl i gario'r traen
I'm cludo oddi yma

Croesais y Llwchwr, y Tawe a'r Nedd
Gwelais y wlad yn newid ei gwedd
Ac yn Aberafan, Penderyn a'i fedd
Trodd y ffordd tua'r gogledd

Gosodwyd y cledrau ar ochr y bryn
Cul oedd cymoedd yr ardal hyn
Twnelu a phontio troydd tyn
Ymdroellog afon Afan

Ac yn y dyffryn hyfryd gwyn
Mae gen i gartre erbyn hyn
Ffarm a chaeau ar y bryn
Ar lannau afon Afan

Dilyn yr afon i'r mynydd o'r môr
Llorio'r goedwig a phontio'r dŵr
Canu wrth weithio i gynnal y ffydd
Wrth weithio ar y rheilffordd

Daeth cyfres radio *Ponty* i ben wedi pedair blynedd, ond fe'i dilynwyd gan *Eileen*, *Rhydeglwys* bellach, yn seiliedig ar un o gymeriadau *Pobol y Cwm*, a bu Geraint yn ddigon ffodus i gael ei gastio fel un o'r prif gymeriadau, Pete Pritchard, fyddai'n dioddef digon o drafferthion dramatig dros y blynyddoedd. Arferid recordio *Ponty* yn Abertawe, ond Bangor oedd cartre

Eileen, a daeth Geraint yn gyfarwydd iawn â'r ffordd o Gaerfyrddin i Wynedd ar benwythnosau.

Ar benwythnosau eraill byddai'r clwb cerddorol yn cyfarfod i ychwanegu caneuon at y set acwstig ac i glywed recordiadau diweddaraf Geraint, gan gynnig ambell sylw o bryd i'w gilydd. Ychwanegodd Geraint Davies a John eu lleisiau at *Dilyn Brunel* a'r gân olaf i'w chwblhau ar gyfer y CD newydd, sef *Ffordd y Wiwer Goch*. Llais ychwanegol arall ar hon oedd un Lisa, oedd bellach wedi graddio mewn Ffrangeg ac Astudiaethau Ewropeaidd, gan dreulio blwyddyn yn Lyon fel rhan o'i chwrs. Wedi blwyddyn yn gweithio yn adran ystadegau Cyd-Bwyllgor Addysg Cymru yng Nghaerdydd – lle, trwy gyd-ddigwyddiad, roedd merch Endaf Emlyn, Lowri Angharad, hefyd yn gweithio – roedd ar fin cychwyn cwrs ar ddysgu Saesneg fel ail iaith.

Gydag un ar ddeg o ganeuon wedi'u cwblhau – gan gynnwys y trac 'bonws', *Ni yw'r Dyfodol* – roedd Geraint yn barod i gyhoeddi CD *Glastir*, wedi'i henwi ar ôl cân gafodd ei hysbrydoli gan y darganfyddiad bod hufenfa Green Meadow Dairy ger Abergwili yn wreiddiol yn fferm o'r enw Glastir, ond bod yr enw wedi'i newid i'r Saesneg er mwyn cydymffurfio â'r byd mawr Seisnig. Enghraifft arall o newid, nid o anghenraid am y gorau.

Unwaith eto, cymerodd Geraint gam pellach ymlaen o ran rheoli pob agwedd ar y gwaith, gan dynnu ar ei ddiddordeb mewn ffotograffiaeth. Gyda chamera digidol a chyfrifiadur, tynnodd luniau a chynllunio ac argraffu'r clawr.

Un arall o ganeuon *Glastir* oedd *Magi*, un o hen ganeuon Eliffant nad oedd erioed wedi'i recordio o'r blaen. A daeth Eliffant yn rhan amlwg o fywyd cerddorol Geraint unwaith eto yn 2001: yn gynta, ailgyhoeddwyd caneuon y ddwy record hir *M.O.M.* a *Gwin y Gwan* – ac eithrio un, oherwydd diffyg gofod – ar un CD, ac, ar wahoddiad gŵyl Aerwyl, daeth y grŵp yn ôl at ei gilydd am un perfformiad yng ngwesty'r Feathers yn Aberaeron. Y tro hwn roedd pawb yn y grŵp yn gallu bod yn bresennol – Geraint, John, Clive, Euros a'r ddau ddrymiwr, Colin a Gordon – a chwyddwyd y rhengoedd gan Geraint Williams ar y gitâr a John Griffiths a Geraint Davies yn canu cefndir. Yn anorfod, bron, daeth cais i ailadrodd y perfformiad y flwyddyn ganlynol, eto yn y Feathers, ac ar 9 Mawrth, 2002, gyda'r un bobl ar wahân i absenoldeb Colin, daeth taith Eliffant i ben unwaith eto.

Parhau wnâi'r clwb Sadwrn, gydag ambell gyfle i berfformio'n gyhoeddus. Wedi cwpwl o berfformiadau yng Nghwmafan a Llambed i Radio Cymru, a nosweithiau anffurfiol gerbron rhieni Ysgol y Dderwen, Caerfyrddin, a'r Gymdeithas Feddygol Gymraeg yn y Bont-faen, ymddangosodd Geraint, Geraint a John ar yr un llwyfan â Tecwyn Ifan, Gwenda Owen a Geinor Haf yng ngwesty Allt yr Afon, Casblaidd, adeg Eisteddfod Tyddewi. Ddwy noson yn ddiweddarach roedd Geraint Griffiths ar lwyfan y Pafiliwn mewn noson o ganeuon Cân i Gymru; ym mis Hydref, daeth ail gyfle i rannu llwyfan â Cherddorfa Gymreig y BBC yn Rhydaman.

Roedd Geraint yr actor hefyd yn brysur – unwaith eto, cafodd ei gastio fel un o brif gymeriadau cyfres ddrama newydd, sef *Darn o Dir*, yn portreadu'r pensaer llewyrchus Edgar Phillips. Hefyd cafodd gyfle i ddychwelyd at ddrama cyfnod – a cheffylau – fel Capten Phillips yn addasiad Ffilmiau'r Nant o nofel boblogaidd T. Llew Jones, *Dirgelwch yr Ogof.*

Wedi cwblhau'i chwrs, ffarweliodd Lisa â Chymru wrth dderbyn cynnig i ddysgu Saesneg fel ail iaith, nid yn Ffrainc fel y byddai rhai'n disgwyl, ond yn Japan, ar gytundeb blwyddyn i ddechrau, ond fe'i ymestynnwyd am gyfnod o dair blynedd yn y pen draw.

> Pam Japan? Byddai'n rhaid gofyn iddi hi. Roedd hi wedi bod yn America, Ffrainc, Sbaen ac Iwerddon ac roedd hyn yn ffordd o weld gwlad a diwylliant arall, sbo.

Roedd Pauline hefyd yn datblygu'i gyrfa ac yn ychwanegu at ei chymwysterau addysg sylweddol. Er 2000, roedd wedi bod yn paratoi gwaith ar gyfer doethuriaeth, ac yn 2003 cafodd ddyrchafiad i swydd Uwch-ddarlithydd yn Ysgol Gwyddor Iechyd Prifysgol Abertawe.

Gwelodd 2003 drosglwyddo gweddill cynnyrch Geraint ar record i CD, gyda chyhoeddi *Cadw'r Ffydd* ar label Sain, a datblygiadau pellach gyda'r triawd acwstig. Fel teyrnged i'w hen hen dad-cu, Thomas Griffiths, bedyddiwyd y grŵp yn Geraint Griffiths a'r Gwehyddion, ac arbrofwyd â'r sain wrth wahodd Gordon Jones i ymuno ag ambell ymarfer fel offerynnwr taro. Ond blwyddyn dawel fuodd hi at ei gilydd, yn sicr o safbwynt canu'n gyhoeddus, er i Geraint, Geraint a John recordio hanner dwsin o ganeuon yn Waunuchaf ar gyfer rhaglen radio *Mewn Sesiwn*. Daeth her gerddorol newydd i Geraint serch hynny, a hynny fel cynhyrchydd.

Roedd Dylan Davies, y canwr o Rosllannerchrugog, wedi cysylltu â Geraint Davies i ofyn am gyngor ynglŷn â chyhoeddi casgliad o'i hen ddeunydd, gan gynnwys sesiynau ar gyfer Radio Cymru – gafodd eu comisiynu'n wreiddiol gan GD – ac efallai ambell gân newydd. Ei fwriad oedd cyhoeddi'r casgliad ar ei label ei hun, Naws, ond roedd angen trosglwyddo'r tapiau chwarter-modfedd henffasiwn i gyfrwng digidol. Awgrymodd GD y dylai gysylltu â GG, oedd â'r offer i wneud hynny, ac o fewn dim roedd Dylan wedi addasu'i gynlluniau i gynnwys CD o ganeuon newydd sbon, i'w recordio yn Waunuchaf a chyda GG'n cynhyrchu. Dros y misoedd nesa, gyda Dylan ar y gitâr acwstig ac yn canu, bu Geraint yn llunio trefniannau, yn recordio'r offerynnau ychwanegol, yn peiriannu a chynhyrchu. Ar ben hynny, cynlluniodd glawr y CD i Dylan a chyhoeddwyd *Y Daith* yn Chwefror 2004.

Ym mis Mawrth, ymddangosodd Geraint Griffiths a'r Gwehyddion dan yr enw newydd am y tro cynta, fel triawd o hyd, yng ngwesty'r Angel yn Llandeilo, a daeth nifer o nosweithiau tebyg yn ei sgil, un yn y Tymbl a dwy yn Abertawe.

Roedd mis Mawrth 2004 yn arwyddocaol am reswm arall. Dyma'r mis pan dderbyniwyd Geraint yn ddinesydd Gwyddelig. Gwyddeles o dras yw Pauline a chanddi ddinasyddiaeth ddeuol, Prydeinig a Gwyddelig, ac o dan ddeddf gwlad Iwerddon roedd gan ŵr neu wraig i Wyddeles neu Wyddel yr hawl i ddinasyddiaeth hefyd. Roedd y drefn honno'n dod i ben felly, os gwneud, nawr oedd yr amser. Penderfynodd y ddau y dylai Geraint wneud cais am ddinasyddiaeth ac yna y byddai'r ddau'n hawlio pasport Gwyddelig gyda'i gilydd. Roedd y broses yn un ddigon uniongyrchol nes i'r ddogfen ddinasyddiaeth gyrraedd – ac enw Geraint wedi'i gamsillafu. Dilynodd nifer o alwadau ffôn i unioni'r cam cyn gallu gwneud cais am basbort, ac, fel y digwyddodd pethau, roedd Geraint a Pauline wedi cynllunio ymweliad â Dulyn, felly manteisiwyd ar y cyfle i alw'n bersonol i ddatrys y broblem, a chyfarfod â'r union ferch oedd wedi gwneud y camsyniad yn y lle cynta, a hithau'n llawn ymddiheuriadau. Ac wedyn, ar ôl dod adre, galwad ffôn o Gaerdydd yn dweud bod Jim y *consul* – ac fel Jim ro'n nhw'n cyfeirio ato fe – yn delio â'r mater beth bynnag. Arwydd arall o ba mor agos-atoch-chi yw'r Gwyddelod.

Taith gynta'r pasport newydd oedd i Japan i ymweld â Lisa, oedd ynghanol ei hail flwyddyn yno. Wedi cyfnod mewn ardal ddigon diarffordd, roedd wedi symud i ddinas Oita yn nhalaith Kyushu yn ne Japan, dinas o dros hanner miliwn o bobol, ac wrth ei bodd yno. Bwriadai aros am drydedd flwyddyn, yr hiraf y câi aros yn Japan o dan y cynllun dysgu. Ym mis Ebrill, cyrhaeddodd Geraint a Pauline faes awyr Osaka a threulio'r noson gynta yn Kyoto mewn gwesty traddodiadol, lle'r oedd yn rhaid i Lisa, fel eu noddwr, fel petai, nodi eu cenedligrwydd, sef, yn yr achos hwn, wrth gwrs, Gwyddelig.

Roedd hi'n gyfnod gŵyl Hanani, adeg dathlu blodeuo'r *sekura*, sef y blodau ceirios oedd i'w gweld ymhob man. Wedi noson yn Hiroshima, ymwelwyd ag ynys fechan Miya-Jima, lleoliad hen fynachlog, lle'r ysbrydolwyd cân newydd fyddai'n rhoi teitl i'r CD nesa.

> Roedd y tywydd yn braf, roedd y wlad yn teimlo'n hollol ddiogel. Oni bai am Lisa, fydden ni byth wedi mynd i Japan, ond i rywun fel fi sydd wastad wedi dwlu ar y gorllewin yn hytrach na'r dwyrain, roedd yn agoriad llygad.

Yn ogystal â chynnal ei wefan ei hunan, roedd Geraint bellach yn wefeistr i bobol eraill. Adeiladodd safle atodol ar gyfer hanes y Griffithsiaid a lluniodd wefan i Dylan Davies, ac wrth i grŵp Mynediad am Ddim ddathlu pen-blwydd yn 30 oed, Geraint oedd y dyn amlwg i lunio'u gwefan nhw, gan fod Geraint Davies yn aelod o'r grŵp hwnnw yn ogystal â bod yn Wehydd.

Roedd hi hefyd yn 30 mlynedd ers perfformiad gwreiddiol yr opera roc *Nia Ben Aur*, a daeth y syniad i ail-greu'r sioe ar lwyfan Gŵyl y Faenol, a hynny gyda'r cast gwreiddiol. Ar un olwg, roedd yn ymgymeriad sylweddol i dynnu pawb yn ôl at ei gilydd ar ôl cymaint o flynyddoedd, ond rhywsut daeth y cyfan yn eitha rhwydd, ac wedi nifer o ymarferion ledled Cymru roedd Geraint a'i gitâr, ynghyd â'r Gwehyddion eraill, yn rhan o'r perfformiad dros Ŵyl y Banc fis Awst 2004 – perfformiad llawer mwy llwyddiannus nag un 1974.

Ond er bod ganddo fe un llygad ar y gorffennol, roedd prif ffocws Geraint ar y dyfodol. Arbrofwyd ymhellach â sŵn byw'r Gwehyddion – mewn perfformiad yng Nghaerdydd ychwanegwyd Myfyr ar y gitâr drydan, Geraint Cynan ar allweddellau ac Aled Richards, gynt o Catatonia, ar y drymiau, ac ymunodd Myf a Cynan â'r triawd craidd ar gyfer noson acwstig yng Nghaernarfon. Dros gyfnod o rai misoedd, roedd Geraint wedi buddsoddi mewn sawl gitâr newydd, gan gynnwys dwy Line6 Variax, un acwstig ac un drydan, oedd yn cynnwys meddalwedd i allu atgynhyrchu sain pob math o gitâr dan haul bron, ac roedd wedi comisiynu ail gitâr gan George Lowden. Yn yr un modd â chyda *Glastir*, roedd e wedi bod yn cyfansoddi a recordio caneuon er 2003, gydag ambell gyfraniad gan GD a John, ac erbyn gwanwyn 2005 roedd un ar ddeg o ganeuon wedi'u cwblhau, digon ar gyfer CD newydd fyddai'n dwyn y teitl *Miya-Jima*.

Hwyrach taw *Miya-Jima* yw'r casgliad mwyaf personol eto o eiddo Geraint, yn rhoi darlun o ddyn sydd wedi dod i delerau â'i fywyd ei hun ac â bywyd yn gyffredinol. Adroddiad ar hanes y daith i Japan yw'r brif gân, mae *Felindre*'n deyrnged i Thomas Griffiths y gwehydd yn yr un modd ag y mae *Dilyn Brunel* ar *Glastir* yn gofnod o fywyd William Griffiths, ac mae *Cilsarn* yn gân serch i Pauline ac i gartre'r teulu ar ochr ei mam, Kilsaran, ar yr un pryd. Er gwaetha'r teitl, Iwerddon hefyd yw gwrthrych *Es i ddim i Ganada*, gyda Geraint yn ymfalchïo yn ei berthynas agos, a swyddogol bellach, â'r Ynys Werdd:

> Fe ges fy swyno yno
> Gan y pibydd wrth y bar
> Ces fy nychryn hefyd
> Gan y garreg ger y cwar
> Ond dyma'r unig le'n y byd
> Dwi'n teimlo mod i'n rhydd
> I alw'n hun yn aelod
> O genedl gwbwl rydd

Mae elfennau o hiraeth yn *Dim ond Weithie* ond, at ei gilydd, dedwyddwch yw'r emosiwn mwyaf cyffredin yma, dedwyddwch rhywun sy'n sylweddoli beth sy'n bwysig yn ei fywyd ac yn ymhyfrydu yn y pethau hynny, hyd yn oed ar ddiwrnod gwael. Er enghraifft, yn y gân *Dyma yw fy Ngweddi*, mae'r gytgan yn ymbil:

> Dyro imi unrhyw beth
> Ond be sy gen i heddi'
> Os oes unrhyw un yn fy nghlywed i
> Dyma yw fy ngweddi

Ond mae'r penillion yn gatalog o bleserau bywyd:

> Dyro i mi wres tân mawn
> A gwydred oer o Guinness
> Dyro i mi faco cryf
> A'r hawl i'w smocio'n hwylus
> Dyro i mi gwmni da
> A chysgod rhag y ddrycin
> Dyro i mi boced ddofn
> A thafarn lon yn Nulyn

Felly hefyd *Byw yn yr Haul*:

> Ger y dŵr ar lannau'r Tywi
> Yr haul yn machlud dros y gorwel grae
> Y dydd yn tawel lusgo i'w wely
> Y caeau'n cuddio yn y golau brau
> Yn y wlad dwi hapusa
> Yn gorwedd rhywle yn yr haul

Gall dedwyddwch droi'n hunanfodlonrwydd, ac mae *Hwrê i'n Hochor Ni* yn gân dafod-yn-y-boch sy'n sôn am berygl hynny:

> Hwrê i ti a fi
> Hwrê i'r bach a'r mawr
> Ma' pawb yn iach yn yr hen wlad fach
> Mae'n nefoedd ar y llawr

Yn gymysg â'r personol mae yna sylwadau gwleidyddol beirniadol, ond eto o safbwynt gobeithiol. Trothwy rhyfel Irac yw testun y geiriau hyn:

> Gwynt yn y sim'e
> Storom a ddaw
> Mas ar y tywod
> Yn y dwyrain draw
> Rhywbeth i brofi
> Cwestiynau di ri'
> Yr ateb yn llifo
> Drwy y pibe du

Ond eto, teitl a byrdwn y gân yw *Bywyd yn Mynd yn ei Flaen*.

Ond efallai mai *Pwy Sydd Yma* sy'n tynnu'r llinynnau ynghyd. Mae elfennau o ddadrithiad gydag arweinyddion, neu'n hytrach ddiffyg arweinyddiaeth, ond gobaith a ffydd y bydd pethau'n gwella yn y pen draw:

Ar y creigiau glas mae'r gwylanod
Yn aros am y llanw mawr
Yn gwylio dros y dŵr mewn gobaith
Yn meddwl falle dyma'r awr
Ac ar y tir mawr y mae cyffro
Pobol yn rhuthro nôl a mla'n
Ac ambell un yn stond a llonydd
Yn syllu am y ceffyl bla'n

Mae 'na batrwm yn y brethyn
Bu'r gwehyddion wrth eu gwaith
Mae 'na ystyr i fy mywyd
Mae 'na ddiben i fy nhaith
Mae gan ryw'n y map a'r cwmpawd
Rwyf yn barod am y dydd
Does dim mwy sy angen arnaf
Ond fy ngobaith, ond fy ffydd

Pwy sydd yma i mi ddilyn?
Pwy a wêl y ffordd yn glir?
Pwy wnaiff ddarllen yr arwyddion?
Ma' nhw yno'n ddigon clir

Daw'r un freuddwyd i mi'n aml
Daw'r un teimlad i fy mron
Daw'r un syniad i fy meddwl
Mae'n fy nilyn fel cân gron
Sgen i 'm syniad beth i ddisgwyl
Sgen i 'm syniad beth a ddaw
Ond mi wn y bydda i'n barod
I'w adnabod pan y daw

NID Y BENNOD OLA'

Ddeugain mlynedd ers ymuno â'i grŵp cynta, ac ugain mlynedd ers troi'n broffesiynol, mae Geraint Griffiths yn dal i fyw ei freuddwyd, yn gerddor a pherfformiwr amser-llawn – yn artist:

> Beth yw artist? Person sy'n adlewyrchu'i fyd, neu'i byd, trwy grefft a thrwy gelfyddyd? Dwi'n ei wneud e achos mod i'n cael 'y ngalw i'w wneud e, does dim dewis 'da fi . . . a dwi'n dwlu arno fe . . . neu, a'i roi e mewn ffordd llai mawreddog, beth dwi'n neud yw gwneud caneuon lan!

Gyda chyhoeddi *Miya-Jima*, mae'r gân nesa a'r CD nesa eisoes ar y gorwel, a'r broses o berffeithio'i grefft yn parhau:

> Dim ond yn ddiweddar iawn, gyda *Miya-Jima* falle, dwi'n teimlo mod i'n sgwennu'n gwmws beth dwi am sgwennu, hynny yw, trosglwyddo'n gywir 'y meddyliau i i eiriau. Mae wedi bod yn ymdrech ar hyd y blynyddoedd, falle oherwydd y Gymraeg, fy nghrap i arni a hefyd y ffaith ei bod hi'n iaith farddonol yn hytrach na iaith roc a rôl – dim digon o eiriau unsill . . .

Mae'r galwadau i ganu wedi prinhau ond mae'r awydd i greu'n parhau. Fel ei arwyr gynt, y Beatles, roddodd y gorau i ganu'n fyw a chanolbwyntio ar waith stiwdio, mae Geraint wedi darganfod bod recordio a chreu darlun cerddorol yn y stiwdio'n ddigon:

> Pe na bawn i byth yn cael cynulleidfa eto, fydden i'n fodlon – wel, falle. Y creu sy'n bwysig. Dwi ddim yn gwneud hyn ar gyfer neb arall, dwi'n ei neud e achos dyna beth dwi'n neud. Mae'n rhoi pleser i fi.

155

Bellach, mae pob agwedd ar gynhyrchu recordiau yn nwylo Geraint ei hun – y cyfansoddi, y trefnu, y canu, y cyfeilio, y cynhyrchu a'r cymysgu, y cloriau, y cyhoeddi – popeth ond gwasgu'r CD ei hun. Ond fel actor mae'n hapus i gadw at yr ochr berfformio, yn hytrach na symud at sgriptio neu gyfarwyddo:

> Rwy'n hollol hapus gyda cherddoriaeth, ond dwi ddim yn teimlo 'mod i'n rheoli'r sefyllfa yn yr un ffordd wrth actio, mae e'n brawf arna i bob tro. Dwi ddim yn dechnegol, fel actorion sy'n gwbod yn union beth mae'r cymeriad yn mynd i'w wneud nesa – a pham. Perfformiad yw e i fi – mynd gyda'r foment. Dwi'n dwlu arno fe, ond dwi ddim mor hyderus ag yr ydw i wrth ganu.

Pan ddychwelodd Geraint i Gymru yn 1976 i ymuno ag Injaroc, gair gafodd ei ddefnyddio i'w ddisgrifio fwy nag unwaith oedd 'enigmatig', a hwyrach bod y gair hwnnw'n dal yn un addas, o leiaf i'r rhai sydd ond yn ei adnabod o'i recordiau a'i wyneb ar y sgrin. Dim ond hanner y stori yw delwedd hunanhyderus y canwr roc a'r actor cymeriadau cryf. Fel pob artist gwerth ei halen, mae'n berson sensitif, weithiau'n orsensitif:

> Rwy'n berson annibynnol iawn, a falle 'mod i'n rhoi'r argraff nad oes angen neb arall arna i. Rwy'n teimlo mod i'n berson cryf iawn, ond rwy'n gallu cael 'y mrifo'n hawdd iawn, ac weithiau'n ymateb yn rhy sydyn o achos 'ny. Ond gobeithio 'mod i'n sensitif i bobol eraill hefyd.

Nid yr artist sensitif sy'n cael ei weld ar lwyfan, ond perfformiwr hyderus:

> Mae'n od. Wrth ymarfer adre ar ben fy hunan, mae'n ymdrech i greu digon o egni i fynd trwy mhethe, ond gyda chynulleidfa – ac mae un person yn gallu gwneud gwahaniaeth – mae'r egni mawr 'ma'n dod o rywle.

Er cymaint ei hoffter e o gwmni a sgwrs, a'r mwynhad a gaiff e o gydweithio gyda pherfformwyr eraill, mae Geraint hefyd yn berson preifat. Mewn byd lle mae 'cael eich gweld' yn bwysig – i rai – a chymdeithasu'n cynnwys partïon cyfryngol a nosweithiau gwobrwyo, mae wyneb Geraint, fel rheol, yn absennol wedi'r perfformiad neu ar ôl diwrnod o waith. Fe, ran amlaf, yw'r cynta i adael a chychwyn ar ei hoff daith – y daith adre.

Mae Pauline ac yntau'n byw yn syml yn Waunuchaf ac mae cartre'n bwysig iawn iddo fe:

> Rwy'n berson sy'n hoff iawn o'i gartre, a 'mhethau i o 'nghwmpas i. Fues i'n ddigon ffodus o gael magwraeth hapus a chartre hapus ac mae hynny wedi aros 'da fi. Dwi byth yn hapusach na phan dwi adre.

Wedi dweud hynny, mae hefyd yn hoff o deithio, a'i yrfa wedi rhoi digon o gyfleon i wneud hynny, ac mae Iwerddon a Ffrainc yn ffefrynnau mawr – Iwerddon erbyn hyn fel ail gartre – 'ond does dim rhaid i fi fynd ymhell i deimlo 'mod i'n teithio'. Er bod Elin a Lisa wedi gadael y nyth ers sbel, mae'r teulu'n dal yn un agos iawn a ffrindiau hefyd yn bwysig, rhai fel Merlin Ambrose a Myfyr Isaac, i enwi ond dau, yn gyfeillion oes.

Mae Iwerddon yn rhan allweddol o fywyd Geraint a Pauline, rhywbeth mae'r ddau wedi'i ddarganfod gyda'i gilydd. Er bod Pauline o dras Wyddelig, cafodd ei magu yn Llundain heb fod yn hollol ymwybodol o'i gwreiddiau a does dim dwywaith fod cyfarfod â Chymro Cymraeg alltud wedi codi ysfa ynddi hi i adennill ei threftadaeth. I Geraint, hefyd, bu'r broses yn agoriad llygad:

> Mae Iwerddon wedi bod mor bwysig i fi. Des i i'w nabod hi trwy'r bobol, achos dyna sy'n bwysig, nid y mynyddoedd neu'r adeiladau, ond y bobol. Rwy'n teimlo'n gwbwl gyfforddus bellach yn y ddwy wlad, ac mae hynny'n fraint. Mae wedi cyfoethogi 'mywyd i.

157

Effaith arall gafodd Iwerddon ar Geraint oedd cryfhau'i deimlad o genedligrwydd ac o genedlaetholdeb. Yn yr un modd ag y gallodd uniaethu â Rhyfel Cartre America, gyda chenedl yn ymrannu'n ddwy garfan, a chlywed adlais o Gymru yn hynny, gwelodd gysylltiad rhwng hanes Cymru ac Iwerddon fel dwy genedl, un wedi cael mwy o lwyddiant yn achub ei hiaith ond heb ennill annibyniaeth a'r llall wedi llwyddo i greu gweriniaeth annibynnol ond, i raddau helaeth, wedi colli'i hiaith:

> Mae 'na debygrwydd, ond mae 'na wahaniaethau mawr wrth gwrs. Fydda i wrth 'y modd yn mynd i Iwerddon i chwilio am y Gymru na fu, ac, efallai, na fydd. Mae'r ddwy wlad fel drych i'w gilydd. Falle taw'r ffordd ddelfrydol i fod yw bod yn Gymro Gwyddelig!

Nid fod Geraint wedi bod yn genedlaetholwr erioed – yn wleidyddol, cefndir gweithiol sosialaidd Plaid Lafur fuodd ei fagwraeth ym Mhontrhydyfen – ac er bod ei ffrind agos Hefin Elis yn genedlaetholwr ac yn weithgar gyda Phlaid Cymru a Chymdeithas yr Iaith, ddilynodd Geraint mo'i gyfaill i'r un cyfeiriad:

> Yn wahanol i Hefin, ro'n i ar y pryd yn dipyn o *hippie*, yn meddwl yn fwy rhyngwladol.

Yn Eisteddfod Rhydaman yn 1970 y dechreuodd newid ei safbwynt wrth wrando ar araith gan Emyr Llywelyn:

> Rwy'n ei gofio fe'n sôn am wisgo'ch bathodyn ar 'ych talcen, ymfalchïo mewn bod yn genedl ar wahân – dyna lle dechreuodd e. Nath y syniad o fod yn Gymro gryfhau wedyn yn Llundain a phan ddes i 'nôl i Gymru, roedd 'yn syniad i amdana i fy hunan fel cenedlaetholwr – a gweriniaethwr – wedi'i sefydlu.

Wedi cyfnod o rwystredigaeth yn Ysgol Glanafan, bu llwyddiant academaidd Geraint ar ei gwrs nyrsio yn fodd i roi hyder iddo fe yn ei allu'i hun ac mae e, i raddau helaeth, wedi'i addysgu'i hunan ers hynny, mewn sawl maes. Mae'n ddarllenwr brwd, a'i lyfrgell yn tystio i'w ddiddordebau dros y blynyddoedd:

> Mae'n bwysig chwilio, dal i ddysgu, dal i fod â meddwl agored. Rwy'n dwlu datrys pethau, sy'n esbonio hefyd falle pam rwy i mor hoff o groeseiriau.

Agwedd arall ar yr ysfa i ddysgu a deall yw ei bleser mewn technoleg o bob math, o sut mae beic yn gweithio – yn grwtyn, parodd syndod i'w dad wrth dynnu'i feic newydd yn ddarnau a gallu'i roi 'nôl at ei gilydd – a moto-beics a cheir, i feistroli peirianwaith stiwdio recordio a byd cyfrifiaduron.

Mae e hefyd wrth ei fodd yn trafod a dadlau, fel y gŵyr ei ddeulu a'i ffrindiau'n dda. Eto, ffordd o ddysgu am bethau, am bobol ac amdano'i hun, yw hyn:

> Mae siarad mas yn uchel yn ffordd o ddadansoddi beth dwi'n meddwl. Dyna pryd dwi'n sylweddoli beth dwi'n gredu. Weithiau mae hynna'n gallu arwain dyn i drwbwl . . .

Arwydd pendant o optimistiaeth Geraint yw'r defnydd cyson o ddelweddau teithio yn ei ganeuon e:

> Dwi'n hoffi edrych mlaen a phwysleisio'r positif, geiriau fel 'Ie', 'Cei', 'Odw' a 'Nesa', a dyna yw teithio i fi – y syniad bod rhywbeth gwell dros y bryn, yr ysfa i symud 'mlaen. Nid cau'r drws ar y gorffennol, ond ychwanegu at brofiadau bywyd. Y pethau bach sy'n rhoi pleser i fi bellach, pethau bach fel 'bennu cân, mynd ar wyliau a chanolbwyntio ar beth sy'n bosib. Yn 'y mhrofiad i, dyna sy'n gweithio orau.

Gyda naw record hir dan enw Eliffant a'i enw'i hun, a thros gant o ganeuon gwreiddiol, mae Geraint wedi creu corff sylweddol o waith, catalog sydd hefyd yn ffynhonnell incwm trwy daliadau hawlfraint. Serch hynny, dyw e ddim yn un am edrych 'nôl yn ormodol:

> Nawr sy'n bwysig i fi, nawr a beth dwi'n mynd i'w wneud nesa. Rwy'n berson tu hwnt o ddiamynedd – mae'n bwysig fod 'da fi rywbeth i edrych mlaen ato fe, rhywbeth i'w gyflawni. Dwi wastad wedi llwyddo i ddod o hyd i'r cam nesa.

Disgyddiaeth Geraint Griffiths

Injaroc
1977 SAIN 1094M

HALEN Y DDAEAR	Injaroc
Halen y Ddaear	Llais a gitâr
Blodau'r Ffair	Llais a gitâr
Llithro Mas	Llais a gitâr
Ffwnc yw'r pwnc	Llais a gitâr
Swllt a Naw	
Pwy?	Prif lais a gitâr
Capten Idole	Prif lais a gitâr
Ledi	Prif lais a gitâr
Calon	Llais a gitâr
Fenyw	Prif lais a gitâr
Paid edrych 'nôl	Llais, gitâr a gitâr ddur
Eryr	Llais a gitâr

Eliffant
1978 SAIN 1130M

M.O.M.	Eliffant
'Nôl ar y stryd	Prif lais a gitâr
Breuddwyd	Prif lais a gitâr
Lisa Lân	Prif lais a gitâr
'Nôl i Gairo	Prif lais a gitâr
Seren i Seren	Prif lais a gitâr
Serena	Prif lais a gitâr
W Capten	Prif lais a gitâr
Ble'r wyt ti?	Prif lais a gitâr
Teulu mawr y byd	Prif lais a gitâr
Lisa Lân	

1979 MACYM1
Sengl Eliffant
Seren i Seren Prif lais a piano
Lisa Lân Prif lais a gitâr

1980 SAIN 1184M
GWIN Y GWAN Eliffant
Gwin y Gwan Prif lais a gitâr
Gole Gwyn Prif lais a gitâr
Merthyr Prif lais a gitâr
Cân y Mynydd Du Prif lais a gitâr
Ffair Caerdydd Prif lais a gitâr
Y Falen Fawr Prif lais a gitâr
Llosgi'r Pontydd Prif lais a gitâr
Ffŵl Ebrill Prif lais a gitâr
Waunuchaf (Cân Elin) Prif lais, gitâr a piano trydan
Mas o'r Coed Prif lais a gitâr

1982 SAIN 1269H
SESIWN SOSBAN Casgliad gan artistiaid amrywiol
Gwylio arna i Prif lais, gitâr a piano trydan

1983 LLEF 1
Sengl Eliffant
Tywyllwch Prif lais a gitâr
Ti yw'r unig un i mi Prif lais a gitâr

Hogia'r Docie
1980 SER001
Sengl Hogia'r Docie
Annwyl Sêr Prif lais
Sêr Prif lais

Geraint Griffiths

1984 SAIN 1316M
      MADRAS   Geraint Griffiths
      Dilyn y Peipar   Prif lais ar bob trac,
      Yr Esgair   llais cefndir
      Madras
      Cowbois Crymych
      Dilyn fi
      Y Cwm
      Edrych am rywbeth
      Undod
      Diwrnod Arall

1985 SAIN123E
      Sengl 12"   GG
      Breuddwyd (fel aderyn)   Prif lais ar bob trac
      Hen Rocar
      Y Ffeitar Bach

1986 SAIN1373M
      REBEL   GG
      Rebel   Prif lais ar bob trac,
      Baton Rouge   llais cefndir
      Breuddwyd y Milwr
      Atlanta
      Un Teulu
      Dal dy Dafod
      Juline
      Gweithio i'r Cyngor Sir
      Twl e Mas

1987 SAINC603N
      AR NOSON FEL HENO   Casgliad gan artistiaid amrywiol
      Carol Joseph   Prif lais

1987 SAINC605A
CÂN I GYMRU '87   Casgliad gan artistiaid amrywiol
Ga'i weld yfory   Prif lais

1988 SAIN1450M
ARARAT   GG
Ararat   Prif lais ar bob trac,
Neb fel ti   llais cefndir
Cred ti fi
Cadw'r Ffydd
Y Dyffryn
Diwrnod ar ôl diwrnod
Ail-ddechre
Gwasg y Botwm
Mynd 'nôl

1992 SAINC487A
CÂN I GYMRU '92   Casgliad gan artistiaid amrywiol
Ble'r aeth y tân   Prif lais

1992 DYG C921
DONEGAL   GG
Uwch y dibyn   Prif lais ar bob trac, llais
Fan draw   cefndir, ambell gitâr,
Nofio gyda'r llif   allweddell, pib a banjo
Llithro a llamu   Un cam ar y tro
Donegal
Popeth yn y byd
Paid â deud
Oes 'na fwy na nawr

1995 SAINSCD2113
DROS BLANT Y BYD   Casgliad gan artistiaid amrywiol
Neges (wrth ffrindiau)   Prif lais a llais cefndir

1998 DYG CD981
      DONEGAL   GG
      Ail-gyhoeddiad ar CD

1999 DYG CD992
      HEWL   GG
      Cerdded gyda thi   Lleisiau ac offerynnau ar
      Siathre   bob trac
      Calon Dderi
      Yn dy law
      Pan fyddwn ni'n dawnsio
      Hedfan
      Hewl
      Gwireddu breuddwyd
      Hela'r penwaig
      Hannah
      Mae'r byd yn troi'n Brydeinig
      Dolig '94

1999 DYG CD993
      Sengl CD   GG gyda Phlant Ysgol Tegryn
      Ni yw'r dyfodol   Prif lais a holl offerynnau

2000 BBCSCD2270
      CYNGERDD   Casgliad gan artistiaid
         Y MILENIWM   amrywiol
      Y Cwm   Deuawd gyda Huw Chiswell
      Yr Esgair   Prif lais
      Atlanta   Deuawd gydag Angharad Bizby

2001 DYG CD011
      GLASTIR   GG
      Gwbod   Prif lais a holl offerynnau,
      Ce Roma   lleisiau cefndir
      Dilyn Brunel
      Aur yn yr afon

Lawr dre
Glastir
Mynydd Llan
Magi
Daw popeth 'nôl
Ffordd y Wiwer Goch
Ni yw'r dyfodol

2003 SAINSCD2436
SYMFFONI'R SÊR   Casgliad gan artistiaid
                  amrywiol
Madras   Prif lais
W Capten   Prif lais

2005 DYG CD051
MIYA-JIMA   GG
Bywyd yn mynd   Prif lais a holl offerynnau,
  yn ei flaen   ac eithrio un gitâr a bas ar
Dyma yw fy ngweddi Miya-Jima; lleisiau cefndir
Felindre
Miya-Jima
Pwy sydd yma
Cilsarn
Dw' i am gofio
Byw yn yr haul
Dim ond weithie
Es i ddim i Ganada
Hwrê i'n hochor ni

Casgliadau
1997 SAINSCD2167
BLYNYDDOEDD
SAIN 1977-88   GG
CD o'r goreuon gydag Injaroc, Eliffant ac fel unigolyn

Capten Idole
'Nôl ar y stryd
W Capten
Seren i Seren
Merthyr
Waunuchaf (Cân Elin)
Madras
Edrych am rywbeth
Breuddwyd (fel aderyn)
Rebel
Atlanta
Juline
Twl e mas
Mynd 'nôl
Cred ti fi
Y Dyffryn
Ararat

2001 SAINSCD2283
ELIFFANT   Eliffant
CD o'r ddwy record hir (ac eithrio un gân)
'Nôl ar y stryd
Breuddwyd
Lisa Lân
'Nôl i Gairo
Seren i Seren
Serena
W Capten
Ble'r wyt ti?
Teulu mawr y byd
Gwin y Gwan
Gole Gwyn
Merthyr
Cân y Mynydd Du
Ffair Caerdydd
Y Falen Fawr

Llosgi'r pontydd
Waunuchaf (Cân Elin)
Mas o'r Coed

2003 SAINSCD2399
CADW'R FFYDD   GG
Ail gasgliad o'r goreuon
Dilyn y peipar
Cowbois Crymych
Dilyn fi
Y Cwm
Undod
Diwrnod Arall
Hen Rocar
Y Ffeitar Bach
Dal dy Dafod
Baton Rouge
Breuddwyd y Milwr
Un Teulu
Gweithio i'r Cyngor Sir
Neb fel ti
Diwrnod ar ôl diwrnod
Ail-ddechre
Gwasg y Botwm
Cadw'r Ffydd

Gydag Artistiaid Eraill
1975 SAIN1019M
NIA BEN AUR   Artistiaid amrywiol
Pob trac   Gitâr flaen

1984 SAIN1321M
TEILWNG YW'R OEN   Artistiaid amrywiol
Hedd yn awr   Prif lais

Ti sy'n dod â'r
    Newyddion   Prif lais
Fe gafodd ddirmyg   Prif lais

1986 RALSO1
Sengl   Artistiaid amrywiol
Dwylo dros y môr   Llais
Dewch ynghyd   Llais

1989 SAINSCD8021
TEILWNG YW'R OEN   Artistiaid amrywiol
Ail-gyhoeddiad ar CD

2001 SAINSCD2289
NIA BEN AUR   Artistiaid amrywiol
Ail-gyhoeddiad ar CD

Cyfraniadau at recordiau artistiaid eraill
1974 SAIN1016M
HEN FFORDD
    GYMREIG O FYW   Edward H Dafis
Pontypridd   Gitâr
I'r Dderwen Gam   Gitâr a llais cefndir
Drudwy   Llais cefndir

1975 SAIN1028M
GLANCERI   Hergest
Niwl ar fryniau Dyfed Gitâr flaen
Seren wib   Gitâr flaen
Stafelloedd   Gitâr flaen

1976 SAIN1053M
SNEB YN BECSO DAM Edward H Dafis
Y Penderfyniad   Gitâr flaen a llais
Pob trac arall   Gitâr a llais cefndir

1976 SAIN1054M
      FFRINDIAU BORE
        OES   Hergest
      Plas y Bryniau   Gitâr flaen
      Yng ngolau'r stryd Gitâr flaen
      Cwm Cynon   Gitâr ddur

1977 SAIN1066M
      DELWYN SIÔN   Delwyn Siôn
      Strydoedd Bangor   Gitâr ddur

1985 SAINC927F
      BREUDDWYD
        ROC A RÔL   Edward H Dafis
      Caset o'r goreuon (gweler uchod)

1989 SAINSCD8027
      EDWARD H DAFIS
      1974–1980   Edward H Dafis
      CD o'r goreuon (gweler uchod)

1991 SAINSCD4066
      HERGEST 1975-1978   Hergest
      CD o'r goreuon (gweler uchod)

1993 FFLACHC127G
      AUR O HEN HAFAU   Gwenda Owen
      Dy gyffwrdd ambell dro Llais

1995 EMICDMFP6213
      MORRISTON ORPHEUS CHOIR & FRIENDS
      Ceidwad y Goleudy   Prif lais

1996 SAINSCD2144
      EILIAD   Caryl Parry Jones
      Yn y dechreuad   Llais cefndir

Y tango a'r cha cha cha	Llais cefndir
Mor dawel	Llais cefndir
Gad fi ar ben fy hun	Llais cefndir
Un yn ormod	Llais cefndir

1997 NCD973
  Y BRENIN TLAWD   Nia a Ffrindiau
  Crist a orchfygodd   Prif lais

2004 NAWSCD002
  Y DAITH   Dylan Davies
  Cyn bo hir   GG – trefniant, cynhyrchu,
  Harri   peiriannu, allweddellau,
  Ar lan y môr   rhaglennu ar bob trac; lleisiau
  Braf yn yr haf   cefndir, organ geg, gitâr drydan
  Gyda thi   12-tant, banjo, mandolin a
  Nwy yn y nen   dobro ar draciau amrywiol
  Hanner ffordd
  Marwnad yr ehedydd
  Y ferch o Bortiwgal
  Gad i mi
  Dwed y gwir
  Tra bo dau
  Cyn hanner nos

2004 SAINSCD2408
  LAWR Y LEIN   Gillian Elisa a'i ffrindiau
  Dau'n ymuno'n un   Llais, peiriannu a chynhyrchu

2005 SAINSCD2428
  EDWARD H
  MEWN BOCS   Edward H Dafis
  Holl gynnyrch y grwp ar 6 CD (gweler uchod)

Yn ogystal, cynhwysir llu o'r caneuon uchod gan GG, Eliffant, Injaroc ac eraill ar gasgliadau amrywiol, sy'n llawer rhy niferus i'w rhestru yma.

ÔL-NODYN

Cywaith yw'r gyfrol hon. Yn 2002, caewyd gwaith cemegau BP yn Baglan, lle'r oedd John Davies, gynt o The Undecided, wedi gweithio ers dros ddeng mlynedd ar hugain. Wedi derbyn ymddeoliad cynnar, penderfynodd ddilyn cwrs ysgrifennu creadigol, ac un o'i brosiectau cyntaf oedd erthygl ar hanes The Undecided. Cafodd y gwaith hwnnw gryn ganmoliaeth ac fe'i cyhoeddwyd yn *The Best of British Magazine*. Tasg nesa'r cwrs oedd llunio pennod gyntaf bywgraffiad, ac aeth John ati i sgwennu am ei hen gyfaill ysgol a'i gyd-aelod yn The Undecided, Geraint Griffiths. Cafodd y bennod honno dderbyniad da hefyd ac awgrymodd ei diwtor ei fod yn bwrw ati i orffen yr hanes.

Roedd John a Geraint wedi cadw mewn cysylltiad o bell dros y blynyddoedd, ond ailgydiwyd yn y berthynas o ddifri wrth i John lunio'i gyfrol ar sail nifer o sgyrsiau gyda Geraint ac eraill. Wedi gorffen y bywgraffiad, a hynny yn Saesneg fel rhan o'r cwrs, fe ddaeth hi'n amlwg mai fersiwn Cymraeg oedd ei angen os am gyhoeddi'r gwaith. Dangosodd Gwasg Gomer ddiddordeb yn y syniad, a gofynnwyd imi addasu cyfrol John i'r Gymraeg, ac ychwanegu deunydd yn seiliedig ar fy adnabyddiaeth i o Geraint dros y ddeng mlynedd ar hugain ddiwethaf ac o'r byd canu roc Cymraeg dros yr un cyfnod. Es ati hefyd i holi Geraint ac eraill ymhellach ac rwy i, fel John, yn arbennig o ddyledus i Geraint, Pauline, John Griffiths, Myfyr Isaac, Endaf Emlyn, Gordon Jones, Euros Lewis a Hefin Elis am rannu'u hatgofion.

Diolch hefyd i Bethan Mair a Gwasg Gomer am eu cefnogaeth a'u harweiniad ar hyd yr hewl.

GD

Dyma gyfle i ddod i nabod y gantores a'r gyflwynwraig arbennig a dewr, Gwenda Owen, wrth iddi adrodd ei stori unigryw am y tro cyntaf mewn cyfrol.

Mae hi'n stori afaelgar, deimladwy, hynod o galonogol, am ymdrech merch gyffredin i oroesi, ond mae hefyd yn stori ysbrydoledig y ferch drws nesaf a ddaeth yn seren canu pop Cymru, a hynny yn erbyn llawer o rwystrau.

1 84323 322 3

£7.99

Dafydd Iwan: un dyn, cymaint o ffyrdd o'i nabod – canwr ysbrydoledig; chwyldroadwr penboeth; dyn busnes blaengar; gwleidydd cyfrifol; mab y Mans; brawd a gŵr a thad. Yn y gyfrol bersonol a dadlennol hon, cawn gipolwg ar bob agwedd ar fywyd a hanes un o wir eiconau Cymru heddiw, ac un sydd wedi rhoi cymaint i'w wlad a'i diwylliant.

Dyma gasgliad unigryw sy'n gyfuniad o luniau o albwm personol y teulu a gwaith rhai o ffotograffwyr dogfennol gorau Cymru'r ugeinfed ganrif.

1 84323 488 2

£8.99

Dyma gyfle i ddod i nabod chwech o gantorion sydd wedi ennill eu lle nid yn unig ar lwyfan Cymru, ond yng nghalon y genedl hefyd.

Mae Shân Cothi, Dai Jones, Tom Gwanas, Trebor Edwards, John Eifion Jones a Fflur Wyn i gyd yn enwau cyfarwydd i bawb sy'n dilyn eisteddfodau a chyngherddau a rhaglenni Cymraeg ar y cyfryngau.

1 84323 363 0

£8.99

Mae ALUN GUY, yr awdur yn gerddor o fri, yn arweinydd ac yn feirniad poblogaidd, sy'n mynd â ni y tu ôl i'r llenni i holi a hel hanesion, ac mae'r canlyniad yn hynod o ddiddorol.

Yn yr ail gyfrol yn y gyfres *Cantorion o Fri* cawn ein cyflwyno i chwech arall sy wedi dod yn amlwg iawn *Ar Lwyfan y Byd*. Bryn Terfel, Rhys Meirion, Gwyn Hughes Jones, Rebecca Evans, Katherine Jenkins a Stuart Burrows – dyna i chi rai o fawrion y byd cerddorol, yn ddi-os!

1 84323 571 4

£8.99

Cyfres Dwy Genhedlaeth

'Merch hwn-a-hwn yw honna!' 'Chi'n gwybod pwy yw ei fam e?
Hon-a-hon!' Sawl gwaith y clywsom hynny yng Nghymru? Yn y
gyfres apelgar hon o sgyrsiau, cawn gyfle i gwrdd â rhieni a phlant
enwog mewn awyrgylch anffurfiol a holi am eu bywydau,
y dylanwadau fu arnynt a'r hyn y maen nhw'n ei ystyried sy'n bwysig
iddyn nhw heddiw. Beth sy'n ysgogi'r ddau? Sut berthynas sy
rhyngddynt? Pwy a beth fu'n ddylanwad arnynt? Mae'r atebion yn y
cyfrolau hyn, ynghyd â lluniau personol o albwm y teulu. Yr holwraig
feistrolgar, sy'n gofyn y cwestiynau yr ydym i gyd eisiau eu gofyn,
yw Siân Thomas.

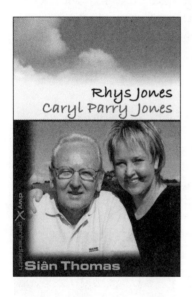

Rhys Jones a Caryl Parry Jones
1 84323 439 4

Cefin Roberts a Mirain Haf
1 84323 384 3

£4.99 yr un